Erich Kästner

Die verschwundene Miniatur

oder auch
Die Abenteuer eines empfindsamen
Fleischermeisters

Abridged and edited with exercises
and vocabulary

By OTTO P. SCHINNERER

Illustrated by A. B. Savrann

D. C. HEATH AND COMPANY BOSTON

Heath
Modern Language
SERIES

Copyright, 1938, by D. C. HEATH AND COMPANY

Printed in the United States of America

PREFACE

THE EDITOR has often been approached by students with the query: Is all German literature heavy, tragic, morbid, and depressing? Is there nothing light and entertaining that we can read with enjoyment while we are still struggling with the difficulties of the language?

Erich Kästner has apparently supplied the answer. His recent books make an instantaneous hit with the students. Whether we like it or not, he seems well on the way to supplanting Storm as the most popular author in the American classroom.

The present story is among the very best that Kästner has produced. William Lyon Phelps includes it in his selection of the eight best novels of the year,[1] and Herschel Brickell calls it "an intelligently and cleverly handled piece of light fiction ... the action moves with the speed of a roller-coaster. ... It's good fun." [2]

With Dr. Kästner's kind permission the original text has been abridged by about one third and the remaining portions have been simplified. Not only does this bring the story within the compass of an ordinary text-book, but it has enabled the editor to eliminate many unusual words and phrases that might cause the student unnecessary trouble without corresponding profit.

[1] *The New York Times*, August 30, 1937. [2] *New York Post*, January 19, 1937.

The plot is in no wise affected thereby. As it stands, the book can be read without difficulty at the end of the second or the beginning of the third college semester, and at the corresponding stages in high school.

As the text is intended primarily for rapid reading, grammatical exercises of the conventional sort have been omitted. At the beginning of each chapter a list of idioms occurring therein is given. A few minutes spent by the student in looking these over will not only make his reading more enjoyable, but will also facilitate smoother translation. Simple factual questions closely following the text have been supplied for the benefit of those teachers who may desire to use them for oral drill.

O.P.S.

New York City

Inhaltsverzeichnis

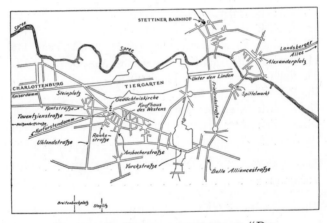

NORTHERN GERMANY, DENMARK, AND SWEDEN

SECTIONS OF BERLIN MENTIONED IN "DIE
VERSCHWUNDENE MINIATUR"

Die verschwundene Miniatur

Das erste Kapitel

Idiomatische Ausdrücke

Womit kann ich dienen? What can I do for you?

Wenn's nicht zu viel Umstände macht. If it doesn't cause too much trouble.

Dann kaufen wir ja unser Fleisch bei Ihnen. Why, then we buy our meat from you.

Lassen Sie sich's gut schmecken. I wish you a good appetite.

Paß auf, ich habe recht. You'll see I'm right.

Ich will mal hören. I'd just like to hear.

Alles, was recht ist. You have to admit (it).

Er schlug ein Bein übers andre. He crossed his legs.

Er machte eine Atempause. He paused for breath.

Schrecklich, was? Terrible, isn't it?

Sie hielt mit ihrem Urteil zurück. She reserved judgment.

Ich mußte an mein Leben denken. I had to think of my own life.

Er zog an der Zigarre. He puffed at his cigar.

Er trocknete sich die Stirn. He dried his forehead.

Das sähe ihr ähnlich. That would be just like her.

Ihm ist ein Unglück zugestoßen. He has met with an accident.

Mir ist zumute. I feel.

unterm Pantoffel sein, be henpecked.

Er hat Briefmarken zu haben. He's got to have stamps.

Briefmarken gibt's hier schon. They have stamps all right.

Papa Külz ißt einen Aufschnitt

Vor dem Hotel d'Angleterre in Kopenhagen stehen in langen Reihen Stühle und Tische. Gäste aus aller Welt sitzen nebeneinander, unterhalten sich in einem Dutzend Sprachen und finden, daß die dänische Küche sehr gut schmeckt.

5

1

Zu diesen Gästen gesellte sich auch Fleischermeister
Oskar Külz aus Berlin. Er trug einen grauen, karier=
ten Anzug, einen Tirolerhut
und einen buschigen, grauen
5 Schnurrbart. In der rechten
Hand hielt er einen Spazier=
stock, in der linken einen
Reiseführer für „Kopenhagen
und Umgebung".

Papa Külz

10 Er setzte sich an einen
freien Tisch. Ein Kellner er=
schien. „Womit kann ich
dienen, mein Herr?"

„Mit einem großen Pils=
15 ner," erklärte der Gast.

„Ein Pilsner, sehr wohl!"

„Und etwas zum Essen.
Einen kleinen Aufschnitt,
wenn's nicht zu viel Umstände
20 macht. Mit verschiedenen
Wurstsorten. Mich inter=
essiert eure dänische Wurst beruflich. Ich bin ein
Berliner Fleischermeister."

Ein Fräulein, das allein am Nebentisch saß, lachte.

25 Oskar Külz war überrascht. Er drehte sich halb um,
machte eine ungeschickte Verbeugung und sagte: „Ent=
schuldigen Sie!"

Das Fräulein nickte ihm munter zu. „Wieso? Ich
bin auch aus Berlin."

30 „Aha!" erwiderte er. „Deshalb sprechen Sie deutsch!"

Dann wurde ihm klar, wie dumm diese Bemerkung war. Er schüttelte, ärgerlich über sich selber, den Kopf und stellte sich, da ihm nichts Besseres einfiel, vor. „Mein Name ist Külz," sagte er.

Sie schlug die Hände zusammen. „Sie sind Herr Külz? Das ist aber lustig! Dann kaufen wir ja unser Fleisch bei Ihnen!"

„Bei Oskar Külz?"

„Das weiß ich nicht. Gibt es denn mehrere Külze?"

„Das kann man wohl sagen."

„Am Kaiserdamm."

„Das ist Otto, mein Jüngster."

„Eine ausgezeichnete Fleischerei," versicherte sie.

Fräulein Trübner

„Ja, gewiß. Aber von Leberwurst versteht er nichts. Da sollten Sie mal bei Hugo Leberwurst kaufen! Das ist mein zweiter Junge. In der Schloßstraße in Steglitz. Der macht Leberwurst!"

„Ein bißchen weit, wenn man am Kaiserdamm wohnt," meinte sie. „Trotz seiner Leberwurst."

„Dafür versteht Hugo nun wieder nichts von Fleischsalat," erklärte Vater Külz streng.

„So, so," sagte das Fräulein.

„Fleischsalat, das ist die Spezialität von Erwin. Dem

Mann meiner ältesten Tochter. In der Landsberger
Allee."

„Und wo ist Ihr eigenes Geschäft?" fragte sie.

„In der Yorckstraße," sagte er. „Im vorigen Oktober
5 hatte ich das dreißigjährige Jubiläum. Mein Bruder
Karl hat's im nächsten Jahr. Im April. Nein, im
Mai."

„Ihr Herr Bruder ist auch Fleischer?" fragte sie.

„Natürlich! Mit drei Schaufenstern! Am Spittel=
10 markt. Und Arno, mein Ältester, auch. Der hat seinen
Laden am Breitenbachplatz. Na, und Georg, mein
andrer Schwiegersohn, hat sein Geschäft in der Uhland=
straße. Dabei wollte Hedwig, meine zweite Tochter,
alles andre eher heiraten — einen Lehrer oder einen
15 Klavierspieler oder einen Feuerwehrmann, nur keinen
Fleischer! Und dann hat sie doch den Georg genommen.
Der war bei mir zwei Jahre lang erster Geselle."

„Um Gottes willen!" sagte das Fräulein. „Lauter
Fleischer!"

20 „Es ist Schicksal!" meinte Külz. „Mein Großvater
war Fleischer. Mein Vater war Fleischer. Mein
Schwiegervater war Fleischer. Uns liegt das Wurst=
machen gewissermaßen im Blut."

„Ein schönes Bild," behauptete das Fräulein.

25 In diesem Augenblick kam der Kellner. Er schob einen
Rolltisch vor sich her. Auf dem Rolltisch befanden sich
ein Glas Bier und eine Platte mit Wurst und Braten.

Wenn ein Fleischermeister beim Anblick einer Wurst=
platte erschrickt, muß das besondere Gründe haben.

30 Külz erschrak sehr. „Das ist wohl ein Mißver=

ständnis," sagte er. „Ich habe einen kleinen Aufschnitt
bestellt, und Sie bringen eine Platte für zwölf Personen!"

Der Kellner zuckte die Achseln. „Der Herr wollte die
dänische Wurst studieren."

„Aber doch nicht bis Weihnachten!" knurrte Külz.   5

Seine Nachbarin lachte und meinte: „Sie sind ein
Opfer Ihres Berufs. Beißen Sie die Zähne zusammen,
lieber Herr Külz, und lassen Sie sich's gut schmecken!"

Fleischermeister Külz ergriff Messer und Gabel.

Einige Reihen weiter hinten, neben dem Hoteleingang, 10
saßen zwei Herren und hielten Zeitungen vors Gesicht.

Aber sie lasen keineswegs, sondern beobachteten Fleischermeister Külz und das Berliner Fräulein. Der eine
der Herren hatte eine rote Nase und sah ungefähr wie ein
Heldentenor aus, der sich seit seinem vierzigsten Jahre 15
mit Rotwein statt mit Gesang beschäftigt hat.

Der andere Herr war klein. Auch sein Gesicht war
nicht mehr ganz neu. Die Ohren saßen ungewöhnlich
hoch am Kopf. Außerdem standen sie ab.

„Sicher eine verabredete Sache," meinte der Tenor.   20
Der Kleine schwieg.

„Es soll wie ein zufälliges Zusammentreffen scheinen,"
fuhr der andere fort. „Ich glaube nicht an Zufälle."

Der kleine Herr mit den abstehenden Ohren schüttelte
den Kopf. „Es ist trotzdem Zufall," meinte er. „Daß 25
der alte Steinhövel dem Mädchen jemanden schickt, ist
denkbar. Daß er einen Riesen schickt, der in Kopenhagen als Tiroler erscheint, ist Unsinn."

Der andere trank sein Glas leer und füllte es wieder.

„Und warum hat sie ihr Hotelzimmer noch nicht ge=
kündigt?"

„Weil sie erst morgen abreist."

„Und weil sie auf den Tiroler gewartet hat! Paß auf,
5 ich habe recht!"

Achtel   Storm

Der Kleine stand auf. „Ich rufe den Chef an. Ich
will mal hören, was er von der Sache hält."

Fleischermeister Külz aß ein Stück Wurst nach dem
andern. Aber es war eine Riesenarbeit. Schließlich legte
10 er Messer und Gabel beiseite, blickte unfreundlich auf die

Platte, die noch reich beladen war, und zuckte die Achseln. „Ich geb's auf!" murmelte er und lächelte dem hübschen Fräulein zu.

„Hat's geschmeckt?"

Er nickte. „Alles, was recht ist. Die Dänen verstehen 5 was von Wurst."

Der Kellner kam und räumte ab.

Külz nahm eine Zigarre aus der Tasche und zündete sie an. Dann schlug er ein Bein übers andre und meinte: „Wenn mich meine Alte hier sitzen sähe!" 10

„Warum haben Sie denn Ihre Frau Gemahlin nicht mitgebracht?" fragte das Fräulein. „Mußte sie im Geschäft bleiben?"

„Nein, es war eigentlich anders," erwiderte Külz. „Sie weiß gar nicht, daß ich in Kopenhagen bin." 15

Das Fräulein blickte ihn erstaunt an.

„Meine Söhne wissen auch nichts davon," fuhr er verlegen fort. „Meine Töchter auch nicht. Meine Schwiegersöhne auch nicht. Meine Schwiegertöchter auch nicht. Meine Geschwister auch nicht. Meine Enkel auch 20 nicht." Er machte eine Atempause. „Ich bin einfach fortgelaufen. Schrecklich, was?"

Das Fräulein hielt mit ihrem Urteil zurück.

„Ich konnte plötzlich nicht mehr," gestand Herr Külz. „Am Sonnabendabend fing es an. Wieso, weiß ich selber 25 nicht. Wir hatten im Laden viel zu tun. Aber plötzlich mußte ich an mein Leben denken. Als hätte der liebe Gott auf einen Knopf gedrückt." Er zog nachdenklich an der Zigarre. „Mein Leben ist natürlich nichts Besondres. Aber mir hat's genügt. Immer wenn man dachte: 30

‚Nun hast du dir ein paar Groschen gespart,‘ wollte eines
der Kinder heiraten. Und dann mußte man einem der
Jungen oder einem der Schwiegersöhne ein Geschäft
kaufen. Oder es kam der Bruder oder ein Schwager und
5 hielt die Hand hin. Nie habe ich für mich selber Zeit
gehabt." Der alte Mann hob müde die Hände und ließ
sie wieder sinken. Und sein Gesicht war voll Trauer.

„Und dann?" fragte das Fräulein.

„Es war genau wie an jedem Sonnabend. Aber ich
10 tat alles wie ein aufgezogener Automat. Und später
fuhren wir zu Hedwig und Georg. Otto und seine Frau
waren auch da."

Oskar Külz nahm sein Taschentuch und trocknete sich
die Stirn. „Ich liebe meine Familie," sagte er, „und
15 meinen Beruf liebe ich auch. Aber soll man wirklich nur
arbeiten? Und soll man wirklich nur an andere denken?
Ist die Welt deshalb schön, damit man von der Fleischerei
geradenwegs auf den Friedhof gebracht wird? Jeder
Mensch denkt manchmal an sich selber. Und nur der alte
20 Külz soll das nicht dürfen?"

Er schüttelte den Kopf. „Am Sonntagmorgen, früh um
fünf Uhr, stand ich auf. Ich sagte Emilie, meiner Frau,
ich wolle in Bernau Herrn Selbmann besuchen. Dann
steckte ich mir Geld ein und fuhr auf den Stettiner Bahnhof.
25 Dort sah ich nach, wann ein Schnellzug führe. Möglichst
weit weg. Und am Sonntagnachmittag war ich in Kopenhagen." Er lächelte in der Erinnerung an seine Flucht.

„Herr Külz," meinte das Fräulein, „Sie sind ein alter
Sünder."

30   „Keineswegs!"

„Haben Sie wenigstens viel gesehen?" fragte sie.

„O ja," sagte er. „Es genügt. Ich war drüben in Malmö. Ich war an Hamlets Grab. Obgleich es sehr zweifelhaft ist, ob er drinliegt. Ich war oben in Gilleleje und habe im Meer gebadet. Liebes Fräulein, daß man 5 nicht früher angefangen hat, sich die Welt anzusehen!"

„Und wie oft," fragte sie, „haben Sie Ihrer Familie geschrieben?"

„Gar nicht," erklärte er. „Die werden sich wundern, wie lange ich in Bernau bleibe!" 10

„Entschuldigen Sie," sagte das Fräulein ernst, „aber das geht wirklich zu weit! Ihre Frau hat doch spätestens am Montagmorgen in Bernau angerufen und erfahren, daß Sie gar nicht dort waren!"

„Glauben Sie?" fragte er. „Das sähe Emilie ähnlich." 15

„Vielleicht glaubt man, daß Ihnen ein Unglück zugestoßen ist! Ihre Familie wird sehr besorgt sein."

„Külz will auch mal seine Ruhe haben. Man ist ja schließlich kein Weihnachtsmann!"

Das Fräulein schwieg eine Weile. Dann sagte sie: 20 „Ich weiß natürlich nicht genau, wie einem als Fleischermeister und Großvater zumute ist."

„Eben," meinte er.

„Aber eines weiß ich. Daß Sie jetzt sogleich eine Ansichtskarte kaufen und Ihrer Frau schreiben. In der 25 Hotelhalle gibt es Karten."

Külz blickte das Fräulein von der Seite an.

Sie sagte: „Ich bitte darum."

Er stand auf, ging ins Hotel und murmelte: „Schon wieder unterm Pantoffel!" 30

In der Hotelhalle holte Külz die Lesebrille aus der Tasche, setzte sie auf, wählte eine Ansichtskarte, hielt sie der Verkäuferin entgegen und sagte: „Und eine Sechs= pfennigmarke. Oder kostet es nach Deutschland mehr?"

5   Die Verkäuferin sah ihn erstaunt an.

„Eine Sechspfennigmarke," knurrte er.

Da meinte neben ihm ein kleiner Herr, der viel zu hoch gelegene Ohren hatte: „Sechspfennigmarken werden Sie hier kaum bekommen. Sie würden Ihnen auch nicht 10 viel nützen."

„Dann muß sie mir eben eine Zwölf= oder Fünfzehn= pfennigmarke geben!"

Der kleine Herr schüttelte den Kopf. „Die gibt's hier auch nicht."

15   „Das ist mir unverständlich. Wer Postkarten ver= kauft, hat auch Briefmarken zu haben."

Der kleine Herr lächelte. „Briefmarken gibt's hier schon," sagte er. „Aber keine deutschen. — Vielleicht ver= suchen Sie's mal mit dänischen?"

Das zweite Kapitel

Idiomatische Ausdrücke

Angst haben, be afraid.

Er ließ sich ausführlich unterrichten. He obtained detailed information.

Ganz meinerseits. The pleasure is all mine.

Sie schüttelten einander die Hand. They shook hands with each other.

Sie blieben stehen. They stopped.

Etwas ist los. Something is the matter.

Er gab ihm die Hand. He shook hands with him.

Was ist mit dem Tiroler? What about the Tyrolean?

Doch (*after a negative*). Yes, indeed. Yes, you are.

Was geht das Sie an? What business is that of yours?

nicht einmal, not even

jemand einen Gefallen erweisen, do some one a favor.

worum sich's handelt, what it's all about.

Na schön! Well, all right!

die vorm Hotel sitzenden Gäste, the guests sitting in front of the hotel.

Macht euch keine Sorge. Don't worry.

Er spielt den Dummen. He pretends to be stupid.

Er macht sich über uns lustig. He is making fun of us.

Er interessierte sich für sie. He was interested in her.

Irene Trübner hat Angst

Fleischermeister Külz unterhielt sich mit dem kleinen Herrn. Sie sprachen schon seit fünf Minuten miteinander.

Schließlich zeigte Külz dem fremden Herrn seine Brieftasche und ließ sich über die Kaufkraft der dänischen Banknoten, besonders im Vergleich zum deutschen Geld, 5 ausführlich unterrichten. Der kleine Herr hätte fast vergessen, die Brieftasche zurückzugeben.

Darüber mußten beide Männer herzlich lachen.

11

„Nun muß ich aber wieder an meinen Tisch," meinte der
Berliner. „Mein Name ist Külz. Es hat mich sehr gefreut."

„Ganz meinerseits," erwiderte der kleine Herr. „Ich
heiße Storm."

5   Sie schüttelten einander die Hand.

Im selben Augenblick fuhr vorm Hotel ein Zeitungs=
bote vor, sprang vom Rad und rannte mit einem Packen
Zeitungen durchs Portal in die Halle. Dann lief er
rasch zu seinem Rad zurück und fuhr hastig weiter. Auf
10 der Straße blieben die Passanten stehen und blickten ge=
meinsam in die neuen Blätter.

Die Gäste in der Halle spürten, daß etwas los war.
Sie kauften Zeitungen, lasen die Nachrichten und redeten
aufgeregt in allen Weltsprachen miteinander.

15   Der kleine Herr kaufte auch eine Zeitung und überflog
die erste Seite.

„Nun werde ich doch neugierig," sagte Külz. „Was ist
denn geschehen? Gibt's Krieg?"

„Nein," meinte Storm. „Es sind Kunstgegenstände
20 verschwunden. Im Werte von einer Million Kronen."

„Aha," sagte Külz. „Na, dann will ich mal meine
Ansichtskarte schreiben." Er gab Herrn Storm freundlich
die Hand und ging.

Der kleine Herr blickte ihm erstaunt nach. Dann trat
25 er vors Portal und setzte sich wieder zu Herrn Philipp
Achtel. Auch dieser las das eben erschienene Blatt. Er
studierte die erste Seite aufs genaueste.

Dann fragte Herr Achtel: „Und was ist mit dem
Tiroler?"

Storm blickte zu Külz hinüber, der den Rücken beugte und seine Karte schrieb. „Erst dachte ich, der Mann sei dumm. Aber ich glaub's nicht mehr. So dumm kann man ja gar nicht sein! Er verstellt sich."

„Nicht die schlechteste Taktik! Und was meint der 5 Chef?"

„Ich soll ihm folgen. Und dir schickt er den Karsten!" Storm wies mit dem Kopf zu Külz hin. „Er fragte mich, was in der Zeitung stünde. Ich sagte es ihm. Er antwortete: ‚Aha! Na, da will ich mal meine Ansichtskarte 10 schreiben.' Merkwürdig, was?"

„Ein gefährlicher Großvater," entgegnete Herr Achtel. „Die Harmlosen sind die Schlimmsten."

Oskar Külz schob die Ansichtskarte beiseite, steckte den Bleistift in die Tasche und atmete auf. Dann wandte er 15 sich dem Fräulein zu. „Würden Sie sich unterschreiben?" fragte er. „Dann wird nämlich meine Emilie eifersüchtig, und das ist immer so komisch." Er lachte gutmütig.

Das Fräulein schrieb eine Zeile und legte die Karte wieder auf den Tisch.   20

Er nahm die Karte und las, was seine Nachbarin geschrieben hatte. „Besten Dank!" sagte er dann. „Besten Dank, Fräulein Trübner."

„Bitte sehr."

„Aber Sie haben einen so traurigen Namen."   25

„Ich bin gar nicht so trübsinnig, wie mein Name es verlangt," erwiderte sie.

„Doch," sagte er. „Doch, doch! Besonders seit ich die Ansichtskarte gekauft habe. Warum eigentlich?"

„Das hat seinen guten Grund, Herr Külz."

„Haben Sie Ärger?"

„Nein," sagte sie. „Aber Angst." Sie zeigte auf die
erschienene Zeitung. „In dem Blatt steht eine Nachricht,
5 die mich sehr erschreckt hat."

„Doch nicht die Geschichte
von den geraubten Kunstge=
genständen? Und von der
Million?"

10   „Ganz recht. Diese Ge=
schichte!"

„Ja, was geht denn das
Sie an?" fragte er leise.

Sie blickte sich vorsichtig
15 um. Dann zuckte sie die Ach=
seln. „Das kann ich Ihnen
hier nicht erzählen."

In demselben Augenblick
ging ein junger Mann an
20 ihnen vorüber. Er war groß
und schlank und schien viel
Zeit zu haben. Er machte

Struve

vor dem Portier, der an der Treppe stand, halt und fragte:
„Wohnt hier im Hotel ein Fräulein Trübner aus Berlin?"
25   „Jawohl," erwiderte der Portier. „Sie sitzt gerade
dort vorn an der Balustrade. Neben dem großen, dicken
Touristen."

„Das ist ja großartig!" meinte der schlanke Herr.
„Danke schön!"

Der Portier salutierte und blickte hinter ihm her.

Der junge Mann ging auf die Balustrade zu. Aber er blieb keineswegs an dem Tisch Fräulein Trübners stehen. Er sah die Dame, nach der er eben gefragt hatte, nicht einmal an! Sondern er ging gleichgültig an ihr 5 vorüber, trat auf die Straße und verschwand in der Menge.

Der Portier machte die Augen weit auf. Und obgleich er so manches verstand, — das verstand er nicht.

„Würden Sie mir einen großen Gefallen erweisen?" 10 fragte Fräulein Trübner.

„Für eine Kundin von meinem Otto tu' ich alles," erklärte Fleischermeister Külz.

„Begleiten Sie mich, bitte!" sagte sie ernst. „Ich muß etwas besorgen. Und unterwegs will ich Ihnen erzählen, 15 worum sich's handelt. Ich habe das Gefühl, daß man uns beobachtet."

„Na schön!" brummte der alte Külz. Er winkte dem Oberkellner und bezahlte.

„Eure Wurst ist großartig," sagte er.   20

Der Ober verneigte sich. „Sehr liebenswürdig. Ich werde es dem Küchenchef mitteilen."

Fräulein Trübner zahlte auch.

Dann standen die beiden auf und traten gemeinsam auf die Straße. Es war ein seltsames Paar: die junge, 25 schlanke, elegant gekleidete Dame und der dicke, breite, kolossale Tourist.

Die vorm Hotel sitzenden Gäste starrten neugierig hinter ihnen her.

Herr Storm und Herr Philipp Achtel standen eilig auf, legten ein paar Münzen auf den Tisch und gingen dem Ausgang zu.

Als sie durch die Tischreihen gingen, stieß der Kleine
5 den andern mit dem Ellbogen an und trat zu dem Tisch, an dem Külz gesessen hatte.

Er beugte sich über den Tisch und nahm ein Streichholz aus
10 dem Ständer. Dann zündete er sich eine Zigarette an. Dann legte er das Streichholz in den Aschenbecher.

Achtel wartete ungeduldig.
15 Auf der Straße fragte er ärgerlich: „Was war denn los?"

Storm zog lächelnd eine Ansichtskarte aus der Tasche. „Mein Freund Külz hat
20 das da auf dem Tisch liegen lassen."

Sie beugten sich über die Karte und lasen sie.

Karsten

Auf der Karte stand: „Liebe Emilie! Entschuldige
25 mein plötzliches Verschwinden. Ich erkläre es Dir, wenn ich wieder zu Hause bin. Habe eben eine Kundin von Otto getroffen. So ein Zufall, was? Macht Euch wegen mir keine Sorge. — Herzlichst Dein Oskar."

Und unter dieser Handschrift stand in schlanken Buch=
30 staben: „Unbekannterweise grüßt Irene Trübner."

Die beiden Herren sahen einander unschlüssig an.

„Hat der Kerl die Karte aus Versehen liegen lassen?" fragte Storm.

„Unsinn!" sagte Achtel. „Sieh dir doch den Text an! Dieser Tiroler ist ein ganz schlauer Kerl. Er hat 'ne 5

Die junge Dame und Oskar Külz hatten keine Ahnung, daß ihnen drei Männer folgten.

Kundin von Otto getroffen! Das ist natürlich eine An= spielung. Erst spielt er den Dummen. Und dann macht er sich mit Hilfe einer Ansichtskarte über uns lustig. Eine unglaubliche Frechheit! Aber da kommt ja Karsten."

Sie begrüßten ihren Kollegen und gingen in einiger 10

Entfernung hinter Fräulein Trübner und Herrn Külz
her.   Storm zerriß die an Frau Emilie Külz in Berlin
adressierte Kopenhagener Ansichtskarte in viele kleine
Stücke und streute sie aufs Pflaster.

5   Die junge Dame und Fleischermeister Oskar Külz
hatten keine Ahnung, daß ihnen drei Männer folgten, die
sich außerordentlich für sie interessierten.

Den drei Männern folgte, wiederum in einiger Ent=
fernung, ein großer, junger Mann.

10   Die drei Männer hatten keine Ahnung, daß auch ihnen
jemand folgte, der sich außerordentlich für sie interessierte.

Das dritte Kapitel

Idiomatische Ausdrücke

Von Kunst ist die Rede. Art is discussed.

Die Sache ist die. This is the situation; it's like this.

Sie warteten auf ihn. They waited for him.

Das waren Zeiten! Those were the days!

Es geht mir ein Licht auf. I'm beginning to see light.

Er kratzte sich am Kopf. He scratched his head.

Sie war außer sich. She was beside herself.

Es fehlt jede Spur. There is not a trace.

Was soll nun werden? What is to be done now?

Es hat keinen Sinn. It's no use.

Mach' ich. I'll do that.

Also schön. Well, all right.

Man wird mich im Auge behalten. They'll keep an eye on me.

Sie klatschte in die Hände. She clapped her hands.

Er schlug sich mit der flachen Hand vor die Stirn. He struck his forehead with the palm of his hand.

Auf die Idee kommt niemand. No one would think of doing that.

Mir fällt ein Stein vom Herzen. That's a load off my mind.

Wir wollen uns trennen. Let us separate.

Sonst fällt es vielleicht auf. Otherwise it might attract attention.

Für Sie ist mir keine Wurst zu teuer. I'd do anything for you.

Er hielt es für seine Pflicht. He considered it his duty.

Er klopfte ihm auf die Schulter. He slapped him on the back.

Mein Wunsch ist in Erfüllung gegangen. My wish has been fulfilled.

Mir geht es nicht anders. It's the same with me.

Wenn nichts dazwischen kommt. If nothing intervenes.

Wer weiß, wozu es gut ist. You never can tell what good may come of it.

Von Kunst ist die Rede

„Die Sache ist die," begann Fräulein Trübner. Sie saßen auf einer Bank in einem Park.

Eine hohe alte Mauer trennte den Park von der Straße draußen. Nur in der Mitte befand sich ein mächtiges Gittertor, das gewiß seit Jahrzehnten nicht mehr geöffnet worden war. Wer die Straße entlang kam, der konnte 5 hier stehenbleiben und in den altertümlichen Park blicken.

So, wie gerade jetzt ein gewisser Herr Karsten!

Zwei gute Bekannte von ihm gingen auf der andern Seite der Straße langsam auf und ab. Sie sprachen wenig und warteten auf ihn.

10 Fräulein Trübner und Herr Külz hatten keine Ahnung, daß man sie beobachtete. Sie kehrten der Straße den Rücken.

„Die Sache ist die," sagte das Fräulein. „Ich bin bei einem reichen und in der ganzen Welt bekannten 15 Kunstsammler, der in Berlin wohnt und Steinhövel heißt, Privatsekretärin. Vorige Woche war nun in Kopenhagen die Auktion einer der größten Sammlungen, die es gibt. Herr Steinhövel sammelt vor allem Miniaturen. Miniaturen sind sehr kleine Gemälde. Oft haben 20 sie sehr teure Rahmen. Alte Miniaturen sind sehr teuer. Herr Steinhövel zahlt für Miniaturen jede Summe. Kennen Sie Holbein den Jüngeren?"

„Wenn ich ehrlich sein soll: nein! Den Älteren auch nicht."

25 „Holbein der Jüngere war einer der berühmtesten deutschen Maler. Er lebte eine Zeitlang am Hofe Heinrichs VIII. Dieser wurde am bekanntesten dadurch, daß er häufig heiratete und einige seiner Frauen hinrichten ließ."

„Das waren Zeiten!" sagte Herr Külz und schnalzte 30 mit der Zunge.

„Die Sache ist die," begann Fräulein Trübner.

„Er ließ seine Frauen aber nicht nur hinrichten, sondern auch malen."

„Hoffentlich vorher!" Külz lachte laut und schlug sich auf die graue Hose.

5   „Jawohl," sagte Fräulein Trübner. „Vorher! Die erste Frau, die er köpfen ließ, hieß Ann Boleyn. Holbein malte sie, ohne Wis=
sen des Königs, kurz
vor der Hochzeit, und

10   sie schenkte ihm diese
Miniatur, von wun=
dervollen Edelsteinen
umrahmt, zum Ge=
burtstag."

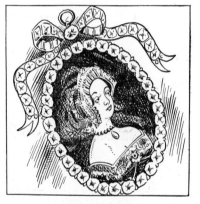

Die Miniatur

15   „Heute läßt man
sich   photographie=
ren," meinte Külz.
„Das geht schneller
und ist billiger."

20   „Auf der Rückseite der Miniatur steht eine liebevolle Widmung von Ann Boleyns eigner Hand."

„Aha," sagte Külz. „Jetzt geht mir ein Licht auf. Diese Miniatur hat Herr Steinhövel gekauft."

„So ist es. Für die Kleinigkeit von sechshundert=
25   tausend Kronen."

„Donnerwetter!"

„Herr Steinhövel fuhr gestern nach Brüssel weiter. Und mich hat der Chef beauftragt, die englische Miniatur von Kopenhagen nach Berlin zu bringen."

30   „Mein herzlichstes Beileid!"

„Herr Steinhövel wollte sie nicht nach Brüssel mitneh=
men. Und außerdem dachte er, bei mir sei sie sicherer.
Denn ihn kennt man. Seine Privatsekretärin kennt man
nicht. — Und nun kommt die heutige Zeitungsmeldung!"

Herr Külz kratzte sich am Kopf.   5

„Kunstgegenstände im Werte von einer Million sind
geraubt worden." Sie war außer sich. „Es sind aus=
schließlich Gegenstände, die auf der Auktion versteigert
worden sind. Und von den Dieben fehlt jede Spur.
Wenn ich nun morgen mit der Miniatur Ann Boleyns   10
nach Berlin fahre, kann es mir passieren, daß die Miniatur
verschwindet. Es wird mir sogar sicher passieren! Ich
fühle das schon seit heute mittag."

„Was soll nun aber werden?" fragte Külz. „Hier=
bleiben können Sie nicht. Fortfahren können Sie nicht.   15
Und etwas Drittes gibt es nicht."

„Doch," sagte Fräulein Trübner leise. „Ich habe mir
Folgendes gedacht!"

Karsten entfernte sich vorsichtig von dem Portal und
ging über die Straße. Seine zwei Freunde blieben stehen   20
und blickten ihn erwartungsvoll an.

„Es hat keinen Sinn," brummte Karsten. „Man ver=
steht kein Wort."

„Ich gratuliere," sagte Philipp Achtel. „Deshalb bleibst
du eine Viertelstunde dort drüben stehen? Nur um uns   25
dann mitzuteilen, du hättest nichts gehört?"

Storm ergriff das Wort. „Einmal wird sich ja wohl
die junge Dame von meinem Tiroler verabschieden. Kurz
darauf werde ich ihm zufällig begegnen. Dann geh' ich

mit ihm ins ‚Vierblättrige Hufeisen‘. Und dann wollen
wir sehen, wer mehr Schnaps verträgt!"

„Schnaps ist eine gute Idee," sagte Philipp Achtel.

Auf der anderen Straßenseite näherte sich ein großer,
5 schlanker Herr. Er blieb vor dem Gitter stehen, zog
einen Reiseführer aus der Tasche, blätterte darin, betrachtete den Park und ging ruhig weiter.

„Ich habe mir Folgendes gedacht," sagte Fräulein
Trübner leise. „Ich habe mir gedacht, Sie könnten mir
10 helfen."

„Mach' ich," meinte Külz. „Ich weiß nur nicht wie."

„Sie fahren morgen mittag mit mir nach Berlin."

„Schön?"

„Ihre Frau wird sich sehr freuen!"

15 „Das ist doch kein Grund!"

„Es gehört aber zu meinem Plan, Herr Külz!"

„Das ist etwas anderes," sagte er. „Also schön! Wir
reisen morgen mittag. Ich fahre aber dritter Klasse."

„Wundervoll!" rief sie. „Und ich fahre zweiter Klasse!"

20 „Wieso das wundervoll ist, verstehe ich nicht. Wenn
wir nicht im selben Abteil fahren, brauche ich ja gar nicht
mitzukommen!" Er war beinahe beleidigt.

Sie beugte sich vor. „Falls man mir die Miniatur
stehlen will, und ich zweifle keinen Augenblick daran, —
25 dann wird man es während der Fahrt versuchen. Ich
reise zweiter Klasse. Man wird mich im Auge behalten.
Man wird mir vielleicht den Koffer stehlen." Sie klatschte
in die Hände. Wie ein Kind.

Er betrachtete sie ängstlich. „Sind Sie verrückt geworden? Freuen sich, daß man Ihnen die Miniatur stiehlt?"

„Doch nur die Koffer, Herr Külz!"

„So. Und die Miniatur ist nicht in Ihren Koffern?"

„Nein."

„Wo ist sie denn?"

„Im Gepäck eines Herrn, der dritter Klasse fährt und bei dem die Bande eine Miniatur Ann Boleyns bestimmt nicht vermutet!"

„Und wer ist der Herr?" fragte er. Dann schlug er sich mit der flachen Hand vor die Stirn. „Ach so!"

„Jawohl," sagte sie. „Ich gebe Ihnen morgen am Bahnhof die Miniatur. Und in Berlin geben Sie sie mir zurück."

„Donnerwetter!" rief er. „Ausgezeichnet!"

„Wir gehen, ohne einander zu kennen, durch die Sperre. Und ich drücke Ihnen heimlich ein Päckchen in die Hand. Niemand wird etwas merken. Wir reisen getrennt. Wenn man mich berauben will, wird man nichts finden."

„Und wenn die Bande noch schlauer ist und mir das Päckchen stiehlt?"

„Ausgeschlossen!" erklärte sie. „Auf die Idee kommt niemand!"

„Wie Sie meinen, Fräulein Trübner. Ich lehne aber von vornherein jede Verantwortung ab."

„Selbstverständlich, lieber Herr Külz." Sie stand auf. „Mir fällt ein Stein vom Herzen. Ich danke Ihnen, daß Sie mir helfen wollen." Sie schüttelte ihm die Hand.

Er schüttelte wieder.

„So," sagte sie. „Und nun wollen wir uns trennen. Sonst fällt es vielleicht auf."

„Wie Sie wünschen. Also morgen mittag am Haupt=bahnhof vor der Sperre."

5 „Wir reden nicht miteinander. Wir sehen einander nicht an. Sie nehmen unauffällig das Päckchen an sich und stecken es in Ihren Koffer. Und in Berlin, am Stettiner Bahnhof, erkennen wir einander ganz plötzlich wieder! Einverstanden?"

10 „Ich werde Blut schwitzen," befürchtete er. „Aber für Sie ist mir keine Wurst zu teuer."

„Auf Wiedersehen," sagte sie. „Und nun gehe ich stadtwärts. Sie entfernen sich, bitte, in der anderen Richtung. Sonst könnten wir auffallen. Bis morgen, 15 Papa Külz!" Sie lächelte ihm dankbar zu und ging weiter.

„Bis morgen," sagte er. Er blickte hinter ihr her. Sie passierte einen Torbogen und verschwand. „Ich bin ein alter Esel," murmelte er.

20 Nachdem er den Park verlassen hatte, kam er in die Bredgade. In dieser Straße befinden sich sehr viele Antiquitätengeschäfte. Da Külz, wenn auch noch nicht lange, mit Miniaturen zu tun hatte, hielt er es für seine Pflicht, sich mit Kunst zu beschäftigen. Er betrachtete 25 geduldig alle Schaufenster.

Vor einem der Läden stand der kleine Herr, der ihm den Unterschied zwischen deutschen und dänischen Brief=marken erklärt hatte. Storm war in irgendeinen An=blick versunken.

„Glück muß man haben!" rief Oskar Külz und klopfte dem andern auf die Schulter.

Storm sah auf. Er lächelte verwirrt und stammelte: „So ein Zufall, Herr... Wie war doch der werte Name?"

„Der werte Name war Külz," erklärte der andere vergnügt. „Ich langweile mich schrecklich, lieber Herr Storm. Mein ganzes Leben lang habe ich es mir ge= wünscht, einmal ein paar Tage allein zu sein! Und nun ist mein Wunsch in Erfüllung gegangen. Ich kann Ihnen nur sagen: Einfach schrecklich!"

„Mir geht es nicht anders," erwiderte Storm. „Ich habe aber eine unglückliche Liebe für solche Kunstwerke. Wenn ich in Kopenhagen bin, gehe ich regelmäßig einmal durch diese Straße. Und da ich wahrscheinlich morgen nach Berlin reise, bin ich heute hier."

„Sie fahren morgen nach Berlin?"

„Wenn nichts dazwischen kommt, ja."

„Großartig! Ich auch! Dritter Klasse?"

„Freilich. Da können wir einander Gesellschaft leisten."

Herr Külz war glücklich. Sie gingen weiter und plauderten. Vor dem nächsten Schaufenster machte Herr Storm halt. „Sehen Sie nur!" flüsterte er. „Dieser Heilige Sebastian! 13. Jahrhundert! Und diese Mi= niatur! Wundervoll!"

„Aha," sagte Külz. „Das also ist eine Miniatur!"

Der andere wäre beinahe kopfüber ins Fenster gefallen.

„So 'n kleines Bild!" sagte Külz. „Was kann das denn kosten?"

„Ich verstehe allerdings nicht viel davon," antwortete

der kleine Herr. „Aber fünfhundert Kronen wird man schon bezahlen müssen."

Külz sah die Miniatur verächtlich an. „Es gibt aber auch viel teurere, nicht?"

5   „O ja," sagte Storm und wurde blaß.

Sie gingen weiter und plauderten.

Fräulein Irene Trübner ging zur selben Zeit durch die Innenstadt. Sie suchte einen Schuhladen, in dessen Schaufenstern ihr vor Tagen ein Paar Sandaletten auf=

gefallen war.   Heute wollte sie nun die Schuhe kaufen.
Falls man ihre Schuhgröße hätte.

In einiger Entfernung folgten ihr zwei Herren.   „Man
sollte ihre Bekanntschaft machen," meinte der eine, ein
gewisser Herr Achtel.   „Wer weiß, wozu es gut ist."   5

Dieser Herr tippte der jungen Dame auf die Schulter.

„Na schön," sagte Karsten.   „Sprich sie an!"

Philipp Achtel zögerte.   „Meine Nase eignet sich nicht
zum Flirten.   Sei so gut und erledige das kleine Geschäft!"

„Gut," erwiderte Karsten und zupfte an der Krawatte. „Und du?"

„Ich folge euch wie ein Schatten."

„Aber geh nicht saufen," erwiderte Karsten. Dann
5 ging er etwas schneller. Er war nur noch wenige Schritte hinter ihr.

Da wurde er von einem großen, schlanken Herrn über= holt!

Dieser Herr tippte der jungen Dame auf die Schulter
10 und rief erstaunt: „Hallo, Irene! Wie kommst denn du nach Kopenhagen?"

Irene Trübner zuckte zusammen und drehte sich um.

Das vierte Kapitel

Idiomatische Ausdrücke

Sie ließ sich kaum anmerken... She scarcely showed...

Er zog den Hut. He raised his hat.

Er hielt sich an ihrer Seite. He kept pace with her.

die Schaufenster, an denen sie vorbeikamen, the show windows which they passed.

Sie ließ sich den Schuh anziehen. She tried the shoe on.

Ich gehe gern einkaufen. I like to go shopping.

Sie fragte nach dem Preis. She inquired about the price.

Nun hielte ich's für das Beste. Now I think it would be best.

Was hältst du davon? What do you think of it?

Noch war es nicht soweit. That time had not yet come.

Sie tranken einander zu. They drank each other's health.

Sie tranken die Gläser leer. They emptied their glasses.

Er trank aus. He finished his glass.

Menschenskind, kriegt man beim Saufen Durst. Heavens, does one get thirsty from drinking.

Es gibt so schlechte Menschen. There are such bad people.

Mir ist schlecht. I feel badly.

Das weiß nicht mal ich selber. I don't even know that myself.

Das „Vierblättrige Hufeisen"

Karsten zog sich zurück. Philipp Achtel grinste boshaft und sagte: „Armer Kleiner! Du hast kein Glück bei Frauen!"

„Red keinen Unsinn!" knurrte Karsten. „Der Kerl kennt sie. Er rief sie bei ihrem Vornamen."

„Die Hilfstruppen, die der alte Steinhövel seiner Privatsekretärin schickt, gehen mir auf die Nerven," gestand Achtel. „Oder glaubst du, daß es Leute von der

31

Konkurrenz sind? Das wäre natürlich noch viel schlim=
mer."

„Glaub' ich nicht," meinte Karsten. „Er rief ihren
Vornamen, und da drehte sie sich um. Wie ein Blitz."

5 „Was wünschen Sie?" fragte Fräulein Trübner streng.
Daß sie erschrocken war, ließ sie sich kaum anmerken. „Und
wie kommen Sie dazu, mich beim Vornamen zu rufen?"

„Was denn? Sie heißen auch Irene?" Der schlanke
Herr war perplex. Dann zog er den Hut. „Ich bitte um
10 Vergebung. Aber Sie erinnerten mich in der Gangart
unglaublich an eine Kusine aus Leipzig." Er lächelte
gewinnend. „Sie sind allerdings hübscher als meine
Kusine."

„Komisch, daß Ihre Kusine ebenfalls Irene heißt!"

15 „Das kann vorkommen," sagte er. „Ich selber heiße
Rudi. Rudi Struve."

Fräulein Trübner wandte ihm den Rücken und setzte
ihren Weg fort.

Er hielt sich an ihrer Seite. „Eigentlich bin ich froh,
20 daß Sie nicht meine Kusine sind."

„Warum?"

„Meine Kusine kenne ich schon," meinte er tiefsinnig.

Sie betrachtete die Schaufenster, an denen sie vorbei=
kamen.

25 Er wich nicht von ihrer Seite.

Plötzlich blieb sie stehen, zeigte mit dem Finger auf
ein Schaufenster, sagte: „Da sind sie ja!" und verschwand
im Laden. Es war ein Schuhgeschäft.

Der junge Mann betrachtete längere Zeit die Auslagen.

Als er in dem Spiegel zwei Passanten bemerkte, die auf der andern Straßenseite warteten, trat er in den Laden.

Fräulein Trübner saß in einem Klubsessel. Vor ihr kniete eine Verkäuferin und probierte am rechten Fuß der Kundin einen Halbschuh.

„Zu groß!" behauptete die junge Dame. „Ich brauche die kleinste Nummer."

Die Verkäuferin holte einen neuen Karton.

Auch dieser Schuh war zu groß.

Die Verkäuferin erstieg eine Leiter und kam mit einem neuen Karton zurück.

Fräulein Trübner ließ sich den Schuh anziehen, trat mehrmals fest auf und meinte erstaunt: „Er paßt!"

„Ausgezeichnet!" sagte jemand neben ihr.

Sie blickte auf. Es war der lästige Mensch, der Rudi hieß.

Er nickte ihr freundlich zu. „Ich gehe gern mit Frauen einkaufen. Es lenkt auf so angenehme Weise von wichtigeren Dingen ab."

Die junge Dame fragte die Verkäuferin nach dem Preis. Sie zog den alten Schuh an und zahlte an der Kasse.

Die Verkäuferin überreichte inzwischen dem Herrn das Schuhpaket. Er nahm es, als sei das ganz selbstverständlich.

„Wo sind die Schuhe?" fragte Fräulein Trübner, als sie ihr Geld in die Handtasche gesteckt hatte.

Er zeigte ihr das Päckchen. „Hier!"

Die Verkäuferin öffnete die Ladentür.

„Guten Tag," sagte er, ließ die junge Dame vorangehen und folgte ihr auf die Straße.

Sie gingen längere Zeit stumm nebeneinander her.

Der junge Mann hatte den Eindruck, daß es falsch sei, sogleich eine Unterhaltung anzufangen.   Die Vermutung
war richtig.   Am Rathausplatz blieb Fräulein Trübner
stehen und sagte: „Darf ich Sie bitten, mir meine Schuhe
5 zu geben?"

„Selbstverständlich," erklärte er.   „Hier sind sie."
Er überreichte ihr den Karton.

„Und nun hielte ich's für das Beste, wenn Sie weiter=
gingen.   Ich weiß nicht, warum Sie mich belästigen.
10 Guten Tag, mein Herr."

Er zog den Hut.   „Guten Tag, meine Dame."   Dann
drehte er ihr den Rücken und ging.

Sie war ein wenig überrascht und blieb ein paar
Sekunden stehen.   Dann warf sie stolz den Kopf zurück
15 und entfernte sich in der entgegengesetzten Richtung.   ‚So
unhöflich brauchte er nun auch nicht zu sein,' dachte sie
gekränkt.   Sie hätte sich gern umgedreht.   Aber da sie
wußte, was sich ziemt, unterließ sie's.

Sonst hätte sie gesehen, daß er die Hände in den
20 Taschen, lächelnd hinter ihr herspazierte.

Zwei Herren, die drüben auf der anderen Straßenseite
standen, besprachen den Fall.

„Was hältst du davon?" fragte Karsten.

Herr Achtel rümpfte die Nase.   „Eine ganz gewöhnliche
25 Liebesgeschichte!"

„Schrecklich!" sagte Karsten.

Dann folgten sie dem großen, schlanken Herrn, der
Rudi hieß.

Und Rudi folgte der jungen Dame, die den gleichen
30 Vornamen wie seine Leipziger Kusine hatte.

Das „Vierblättrige Hufeisen" ist eine obskure Matrosen=
kneipe. In einer Nebengasse. Man muß einige Stufen
hinunterklettern. Und später dieselben Stufen wieder
hinauf! Das ist der schwierigere Teil.

Aber noch war es nicht so weit.   5

Oskar Külz saß in einer Nische. Storm, der Mann
mit den abstehenden Ohren, saß neben ihm. Sie waren
vorgerückter Laune und tranken einander zu. An den
anderen Tischen saßen Männer in blauen Schifferjoppen
und tranken ebenfalls.   10

„Eine schöne Stadt," erklärte Külz.

Storm hob sein Schnapsglas.

Külz auch.

„Prost!" riefen beide und tranken die Gläser leer.

„Eine wunderschöne Stadt," sagte Külz.   15

„Eine fabelhafte Stadt," meinte Storm.

„Eine der schönsten Städte überhaupt," behauptete
Külz.

Dann tranken sie wieder. Diesmal Bier. Der
Kellner brachte, ohne direkt aufgefordert worden zu sein,   20
zwei Schnäpse.

„Eine herrliche Stadt," murmelte Külz.

Storm nickte gerührt. „Und morgen müssen wir sie
verlassen!"

Der Berliner Fleischermeister schüttelte traurig den   25
grauen Kopf. „Ein Glück, daß Sie mitfahren. Allein
wäre mir die Sache zu gewagt. Prost, Storm!"

„Prost, Külz!"

„Es kann gefährlich werden, Storm. Sehr gefährlich
kann es werden! Haben Sie Mut?"   30

„Glaube schon, Sie alter Tiroler! Und wieso gefährlich?"

„Das sag' ich nicht! Die Kunst soll leben!"

Storm ertappte sich plötzlich beim Singen. Und er spürte erschroden, daß er nur noch ein Bier und zwei Schnäpse zu konsumieren brauchte, um so betrunken zu sein, daß es keinen praktischen Wert mehr hatte, ob der andere noch betrunkener als er selber wäre.

„Prost!" rief Külz und trank aus.

„Prost!" Storm griff daneben.

Der andere brückte ihm väterlich das Glas in die Hand. „Kellner, noch zwei Schnäpse! Und zwei Flaschen Bier!"

Der Kellner brachte das Gewünschte.

„Menschenskind, kriegt man beim Saufen Durst," sagte Külz. „Glücklicherweise habe ich vorher einen kleinen Aufschnitt für zwölf Personen gegessen." Er lachte in der Erinnerung an die Wurstplatte. Dann meinte er: „Wenn ich tüchtig gegessen habe, kann ich vierundzwanzig Stunden trinken. Prost, Störmchen!"

Storm trat der kalte Schweiß auf die Stirn. „Prost," flüsterte er heiser und goß das Bier hinunter.

Külz füllte nach. „Es war Schicksal, daß wir uns begegnet sind. Nun können sie kommen!"

„Wer kann kommen?"

„Es gibt ja so schlechte Menschen auf der Welt!" Külz schlug dem kleinen Storm auf die Schulter, daß der fast vom Stuhl sank. „Und niemand weiß genau, warum sie schlecht sind. Könnten sie's nicht im Guten versuchen? Wie? Warum sind sie schlecht? Das weiß nicht mal der Pastor."

Külz schlug dem kleinen Storm auf die Schulter.

„Ich bin auch schlecht," stammelte Storm. „Nein, mir ist auch schlecht!" Sein Kopf schwebte im Nebel.

„Da hilft nur Schnaps!" behauptete Külz energisch. „Kellner, zwei Schnäpse!"

5   Der Kellner rannte und brachte das Gewünschte.

Storm spürte, wie man ihm Schnaps einflößte. Er war nicht mehr fähig, sich zu sträuben. Er dachte eben noch: ‚Wenn dieser Kerl mich hineingelegt haben sollte . . .' Dann sank er vom Stuhl.

10   „Prost, alter Knabe," sagte Külz. „Der Teufel soll die schlechten Menschen holen."

Da erst merkte er, daß er allein am Tisch saß.

Vor einem Haus in der Oesterbrogade hielt ein Taxi. Ein Mann, der einen karierten Anzug und einen Tiroler=

15 hut trug, kletterte heraus, trat ein wenig schwankend, an die Haustür und las das Schild, das dort angebracht war.

„Hurra," sagte er. „Pension Curtius! Ein Glück, daß der Junge nicht vergessen hat, wo er wohnt." Er ging zum Auto zurück, zog ein unbewegliches Lebewesen vom

20 Sitz und hob es auf seine Schulter.

Der Chauffeur wollte helfen.

„Nicht nötig," meinte der Tourist. An der Haustür drehte er sich um und rief: „Warten Sie auf mich, Herr Direktor!" Dann trat er ins Haus und ging die Treppe

25 hinauf.

Die Pension Curtius lag im ersten Stock. Der Tourist klingelte.

Es rührte sich nichts.

Er klingelte Alarm.

Endlich kamen Schritte über den Korridor. Jemand starrte lange durchs Guckloch.

„Nun machen Sie doch auf!" brummte der Mann.

Es wurde mit Schlüsseln manipuliert. Die Tür öffnete sich. Ein vornehmer alter Herr, der einen weißen 5

Er hob ein unbewegliches Lebewesen auf seine Schulter.

Vollbart und eine dunkle Brille trug, fragte: „Sie wünschen?"

„Ich möchte einen gewissen Herrn 10 Storm abgeben."

„Leider wohne ich erst seit gestern hier," sagte der alte Herr 15 sanft. „Und ich bin ganz allein in der Wohnung. Was fehlt denn dem Herrn auf Ihrer Schulter? Ist 20 er tot?"

„Nein. Besoffen."

„So, so."

„Soll ich Herrn Storm in den Brief= 25 kasten stecken?" fragte der Tourist. „Oder wissen Sie einen anderen Ausweg?"

Der alte Herr trat in den Korridor zurück. „Sie könnten ihn vielleicht im Speisezimmer aufs Sofa legen." Er ging voraus, öffnete eine Tür und machte Licht. Sie 30

Der vornehme alte Herr

befanden sich im Speisezimmer. Der riesige Mann im grauen Anzug legte seine Last sorgfältig aufs Sofa und breitete eine Kamelhaardecke darüber. Dann blickte er besorgt dem bleichen

5 Storm ins Gesicht und meinte: „Hoffentlich ist er morgen pünktlich am Bahnhof."

10 „Will er denn verreisen?"

„Jawohl. Wir fahren gemeinsam nach Berlin."

15 „Ich werde es dem Wirt sagen." Der feine alte Herr lächelte milde. „Er wird Herrn Storm

20 rechtzeitig wecken."

„Damit tun Sie mir einen großen Gefallen," erwiderte der Tourist. „Es ist nämlich von größter Wichtigkeit."

25 „Darf ich wissen . . .

„Nein," sagte der Mann. „Herr Storm weiß es auch nicht." Er ging ein wenig schwankend durchs Zimmer und drehte sich um. „Das weiß nicht mal ich selber ganz genau!" Er lachte, schwang den Stock durch die Luft

30 und rief lustig: „Es lebe die Kunst!"

Draußen im Korridor stieß er gegen den Garderoben=
ständer. Dann schlug die Tür.

Kaum war er fort, belebte sich das Speisezimmer.
Mindestens ein Dutzend Menschen umstand das Sofa, auf
dem Herr Storm schlummerte.

Der alte Herr hatte die dunkle Brille abgenommen.
„Was ist das für eine Schweinerei?" fragte er zornig.
„Wer kann mir das erklären?"

„Ich!" sagte jemand. Es war Herr Philipp Achtel, der
Rotweinspezialist.

„Also?"

„Storm hatte sich doch mit dem Mann angefreundet,
der im d'Angleterre neben Steinhövels Sekretärin saß.
Und dann beschloß er, ihn zufällig wiederzutreffen und
unter Schnaps zu setzen. Um Näheres zu erfahren."

„Und?"

Herr Achtel grinste. „Und diesen Plan scheint er
durchgeführt zu haben."

„Und wer war der Bernhardiner, der Storm hier ab=
gegeben hat?"

Achtel sagte: „Das war ja eben jener Külz, von dem
wir noch immer nicht wissen, ob er wirklich so dumm ist,
wie er tut, oder ob er sich verstellt."

„Saufen kann er jedenfalls," behauptete jemand und
lachte.

Ein anderer Pensionär sagte: „Ich finde das großartig!
Storm will den Mann unter den Tisch trinken, um ihn
auszuhorchen, und statt dessen bringt der ihn über der
Schulter zu uns ins Haus. Wie ein Postbote ein Paket!"

„Ironie des Schicksals," sagte Philipp Achtel.

„Ruhe!" befahl der alte feine Herr und trat dicht ans Sofa. „Eines kann ich euch schon jetzt sagen. Wenn es sich herausstellen sollte, daß Storm Dummheiten gemacht hat, kann er etwas erleben, was er nicht mehr erleben wird!"

Storm wälzte sich auf die andre Seite und sagte plötzlich ganz laut: „Prost, Külzchen!"

Das fünfte Kapitel

Idiomatische Ausdrücke

Er war als Erster am Bahnhof. He was the first to arrive at the station.

Er hatte großen Durst. He was very thirsty.

Er war mit von der Partie. He belonged to the party.

Das hat mir gerade gefehlt. That would be the last straw.

Am Ende fahre ich allein. In the end I may travel alone.

Ich mache alles verkehrt. I do everything wrong.

Er machte sich marschbereit. He got ready to go.

Er schob sich breit in die Sperre. He planted himself in the gateway.

Er nahm den Fahrschein in Empfang. He took back the ticket.

erst heute früh, not until this morning.

Gerne geschehen. Don't mention it.

Das läßt sich machen. That can be arranged.

Der Herr war ihm behilflich. The man helped him.

Der Zug setzte sich in Bewegung. The train started.

Wollen wir uns wieder vertragen? Shall we make up again?

Sie machen einen kleinen Fuß. They make your feet look small.

zum Beispiel, for example.

Auf Wiederhören (*a radio phrase derived by analogy from* Auf Wiedersehen). Until we meet again over the radio.

Wenn er's schon tut. As long as he's doing it.

Es zog ihr den Kopf herum. Something made her turn around.

Er soll sich an mir die Zähne ausbeißen. He'll have a hard nut to crack in me.

Wenn sie einem in die Arme läuft. If one runs across her.

Was gab es an ihm schon zu sehen? What was there to see in him anyway?

Ist die Stunde um? Is the hour up?

Sie strich sich das Haar glatt. She smoothed her hair.

Ich bin das meiner Verwandtschaft schuldig. I owe that to my relatives.

Er sollte recht behalten. He eventually proved to be right.

ihnen gegenüber, opposite them.

Abschied von Kopenhagen

Am kommenden Mittag war Külz als Erster am Bahn=
hof. Er ging in der Halle auf und ab und wartete auf
Fräulein Trübner und Herrn Storm. Außerdem hatte
er großen Durst und wäre gern in die Bahnhofswirtschaft
5 gegangen, um ein Glas Bier zu trinken. Mindestens ein
Glas! Doch er wagte nicht, seinen Posten zu verlassen,
sondern blieb vor der Sperre vom Bahnsteig 4.

Am Hauptportal erschien eine größere Gruppe Herren
mit Koffern und Taschen. Herr Karsten, der mit von der
10 Partie war, sagte: „Da steht ja schon unser Tiroler!"

Einige seiner Begleiter entfernten sich und spazierten,
an Fleischermeister Külz vorüber, durch die Sperre.

Papa Külz merkte natürlich nichts von alledem. Er
merkte nur, daß Storm und Fräulein Trübner nicht
15 kamen. ‚Das hat mir gerade gefehlt,' dachte er. ‚Am
Ende fahre ich allein nach Berlin! Das hat man von
seiner Gutmütigkeit! Warum soll ich eigentlich schon
nach Hause? Emilie und die Kinder wissen ja, daß ich
nicht in Bernau bei Selbmann bin, sondern in Dänemark.
20 Wann mögen sie denn die Ansichtskarte gekriegt haben?'

In diesem Moment fiel ihm ein, daß er die Karte gar
nicht in den Kasten gesteckt, sondern im Hotel d'Angleterre
liegen gelassen hatte! ‚Ich mache aber auch alles ver=
kehrt,' dachte er enttäuscht.

25 Da erschien Fräulein Trübner im Portal. Und sie
kam nicht allein. Sondern mit zwei großen, starken
Männern, die steife schwarze Hüte trugen und auch sonst
Kriminalbeamten in Zivil ähnlich sahen.

Oskar Külz versuchte Fräulein Trübner, wie verabredet, nicht zu kennen. Er hob seinen Koffer auf, faßte den Stock fester, machte sich marschbereit und blickte, so unauffällig wie möglich, über die Schulter.

Das Fräulein verabschiedete sich gerade von den beiden 5
Begleitern mit einem freundlichen Kopfnicken.

Külz schob sich also breit in die Sperre und setzte, um Zeit zu gewinnen, seinen Koffer nieder. „Einen Augenblick, Herr Schaffner," sagte er zu dem Beamten. „Ich muß nur noch mein Billett suchen!" Er suchte in mehreren 10
Taschen, obgleich er den Fahrschein längst gefunden hatte, und drehte sich schnell um. ‚Na endlich,' dachte er. ‚Da kommt sie ja!'

Jetzt stand Fräulein Trübner hinter ihm. Külz reichte dem Beamten das Billett, spürte, wie jemand ihm ein 15
Päckchen in die andre Hand drückte, nahm den gelochten Fahrschein in Empfang, hob den Koffer auf, verlor den Spazierstock, bückte sich danach und kam endlich aus der Sperre heraus.

Herr Karsten, der hinter den beiden herkam, unter= 20
drückte mit Mühe ein mephistophelisches Lächeln.

Külz hatte das heimlich empfangene Päckchen in den Koffer gesteckt und diesen sorgfältig abgeschlossen. Dann ging er den Zug entlang und suchte die Wagen dritter Klasse. 25

„Hallo!" rief jemand hinter ihm. Es war Herr Storm.

„Endlich!" meinte Külz erleichtert. „Ich hatte schon Angst, Sie hätten es verschlafen."

Storm bedankte sich, daß ihn der andere in der Pension 30

Curtius abgeliefert hatte. „Ich erfuhr erst heute früh davon."

„Gerne geschehen, mein Lieber."

„Meine Wirtsleute waren gar nicht da, habe ich gehört."

5 „Stimmt. Nur ein alter Herr mit einer dunklen Brille."

„Kenn' ich nicht."

„Er sagte, daß er erst einen Tag dort wohnt."

„Drum."

10 Külz blieb vor einem Abteil dritter Klasse stehen. „Hier ist Platz!"

Aber Herr Storm wollte nicht. „Ich kann alte Frauen nicht leiden," murmelte er. Er meinte eine weiß= haarige Dame, die am Fenster saß. „Alte Frauen bringen
15 mir Unglück."

Sie gingen weiter.

Plötzlich machte Storm halt und fragte einen Herrn, der aus einem Coupé herausschaute: „Entschuldigen Sie, ist in Ihrem Abteil noch für zwei Personen Platz?"

20 Der Herr, der übrigens einem ehemaligen Tenor ähnlich sah und eine sehr rote Nase besaß, blickte ins Abteil, sah wieder auf den Bahnsteig hinaus und sagte: „Ja, das läßt sich machen."

Storm stieg ein, drehte sich um und nahm seinem
25 Reisegefährten den Koffer ab.

„Vorsicht!" knurrte Külz besorgt. Dann stieg er eben= falls ein. Der Herr mit der roten Nase war ihm behilf= lich. Es waren, nach dem ersten Eindruck zu urteilen, ganz reizende Leute im Coupé.

30 Zufälligerweise lauter Männer.

Sie machten ihm bereitwillig Platz und waren sehr freundlich.

Bald unterhielten sich alle Fahrgäste miteinander, als seien sie lauter gute alte Bekannte.

(Und so war's ja auch.)   5

Külz zündete sich eine Zigarre an und sah nach, ob sein Koffer noch im Gepäcknetz läge.

Der Koffer lag noch dort.

Fräulein Irene Trübner fand ein Abteil zweiter Klasse, das ziemlich leer war. Nur die Fensterplätze waren besetzt. 10 Von einem sehr jungen amerikanischen Ehepaar, das Zeitungen und Magazine las.

Sie setzte sich in eine der Gang=Ecken und blickte sehr oft auf ihre Armbanduhr.

Draußen im Gang lehnten Fahrgäste aus den Fenstern 15 und unterhielten sich mit Verwandten und Bekannten, die in Kopenhagen zurückblieben. Einige holten bereits die Taschentücher hervor.

Dann setzte der Zug sich in Bewegung. Die Taschen= tücher wurden wild geschwenkt. Das amerikanische Ehe= 20 paar blickte von der Lektüre auf. Sie lächelten einander zu, brachen das Lächeln automatisch wieder ab und lasen weiter.

Fräulein Trübner fühlte sich beobachtet. Sie blickte sich um.

Draußen im Gang stand der große, schlanke Herr, der 25 Rudi hieß!

Er nickte ihr zu und zog den Hut.

Dann kam er ins Abteil, setzte sich ihr gegenüber und fragte: „Wollen wir uns wieder vertragen?"

Bald unterhielten sich alle Fahrgäste miteinander.

Sie schwieg.

„Oh," sagte er. „Sie haben die neuen Schuhe an! Reizend! Sie machen einen so kleinen Fuß."

Fräulein Trübner schwieg.

„Die Absätze könnten etwas niedriger sein," meinte er. „Niedrige Absätze sind gesünder."

„Sind Sie Orthopäde?" fragte sie.

„Nein. Aber ich habe einen Vetter, der Arzt ist."

„In Leipzig?"

„Wieso in Leipzig?"

Sie zog die Mundwinkel hoch. „Ich vermute stark, daß es sich um einen Bruder Ihrer Kusine Irene handelt."

Er lachte.

„Sie unterschätzen die Struves," sagte er dann. „Nicht, daß ich prahlen will. Aber wir sind eine sehr fleißige, weitverbreitete Familie."

„Interessant."

„Mein Vetter, zum Beispiel, lebt in Hannover. Er ist Hals-, Nasen- und Ohrenspezialist."

„Aha. Deshalb weiß er so gut über Absätze Bescheid!"

„Eben, eben!" Er lehnte sich zurück, schlug ein Bein übers andre, holte eine Zeitung hervor und sagte: „Ich lasse jetzt aus Schüchternheit eine Pause eintreten. Auf Wiederhören in einer Stunde." Dann begann er zu lesen.

Fräulein Trübner nahm die große Handtasche energisch unter den Arm und sah aus dem Fenster.

Fleischermeister Külz blickte, in seinem Abteil, ebenfalls hinaus. Wenigstens mit dem einen Auge. Mit dem andern hütete er seinen Koffer und dessen Geheimnis.

‚Man hat's nicht leicht,' dachte er. Und beinahe hätte er's auch laut gesagt.

Er trocknete sich die Stirn.

„Ist es Ihnen zu heiß?" fragte Storm besorgt.

Und ehe Külz noch antworten konnte, sprang ein andrer Fahrgast auf und ließ die Fensterscheibe herunter.

„Sehr freundlich," sagte Külz und betrachtete die Fahr=gäste. So viele liebenswürdige Menschen hatte er selten beisammen gesehen. Da hatte er wirklich Glück gehabt!

Der Herr, der Rudi hieß, hatte sich zurückgelehnt. Er lag mit geschlossenen Augen und atmete friedlich.

Irene Trübner betrachtete sein Gesicht. Sie betrachtete es sehr nachdenklich und dachte bei sich: ‚Jedes Wort, das er bis jetzt zu mir gesagt hat, war vermutlich eine Lüge. Warum folgt er mir seit gestern? Und wenn er's schon tut, warum belügt er mich? Dabei hat er ein Gesicht wie der Erzengel Michael, dieser gemeine Schuft!'

Sie wandte sich zum Fenster und starrte einige Minuten hinaus. Dann aber zog es ihr wieder den Kopf herum.

‚Diese ausdrucksvollen Hände!' dachte sie selbstver=gessen. ‚Und er ist doch ein gemeiner Schuft! Nun, er soll sich an mir die Zähne ausbeißen, der Rudi!' Sie korrigierte ihre Gedanken: ‚Der Herr Rudi! — Diese Schlafmütze, ha!'

In dem letzten Punkt irrte sie sich. Der Herr Rudi schlief gar nicht. Es sah nur so aus. Hinter den tiefge=senkten Wimpern betrachtete er das junge Mädchen un=unterbrochen. Er war empört. ‚Gerade diese Irene Trübner,' dachte er, ‚gerade sie muß so hübsch sein!

Warum ist sie nicht häßlich? Seit Jahren wünscht man
sich's, so eine Person zu treffen. Und wenn sie einem endlich in die Arme läuft, kommt sie ungelegen. Der Teufel
hole den jüngeren Holbein und sämtliche Frauen Heinrichs
VIII., die geköpften und die ungeköpften! Ach, ist das 5
Leben kompliziert!'

Sie beugte sich weit vor und sah ihn sonderbar an. Ihm
war, als würden ihre Augen immer größer und nachdenk-
licher. Was gab es an ihm schon zu sehen? Plötzlich schlug
sie die Augen nieder und wurde rot wie ein Schulmädel. 10

Darüber verlor er die Selbstbeherrschung und erwachte.
„Ist die Stunde um?" fragte er.

Sie fuhr zusammen und strich sich das Haar glatt.
„Welche Stunde?"

„Die geplante Gesprächspause," sagte er. „Ich war das 15
meiner Verwandtschaft schuldig."

„Ach so." Sie blickte auf die Uhr und meinte: „Sie
haben noch Zeit. Gute Nacht!"

„Habe ich denn geschlafen?"

„Hoffentlich," sagte sie.   20

„Und geschnarcht?"

„Nein."

„So vergeßlich zu sein!"

In diesem Augenblick passierte ein Herr den Gang.
Ein Herr, der einen weißen Bart und eine dunkle Brille 25
trug. Er blickte ins Abteil und schritt langsam weiter.

Fräulein Trübner fragte: „Kennen Sie diesen Herrn?"

„Nein," erwiderte Herr Struve. „Aber ich habe das
dumpfe Gefühl, als ob ich seine werte Bekanntschaft sehr
bald machen würde."   30

Er sollte recht behalten.

Als er auf der Fähre zwischen den Inseln Seeland und
Laaland das Abteil verließ, traf er den Herrn wieder.
Dieser blieb gerade vor einem der Passagiere stehen und
5 bat um Feuer. Jemandem, der mißtrauisch war, mußte
auffallen, daß der Mann, der seine Zigarette hinhielt, dem
weißen Vollbart etwas zuflüsterte.

Bemerkungen zwischen Fremden pflegen nicht geflüstert
zu werden. Auch zu viel Vorsicht ist Leichtsinn.

10 Der alte Herr schritt weiter.

Rudi Struve folgte ihm.

Der alte Herr musterte die Abteilfenster.

Struve folgte diesem Blick und bemerkte hierbei einen
Mann, der aus einem Coupé dritter Klasse herausschaute
15 und, als der alte Herr vorüberkam, mit den Augen
zwinkerte.

Und dieser Mann hatte eine auffällig rote Nase.

Struve kam die Nase bekannt vor. Er trat an die
Reling und betrachtete fünf Minuten lang die Ostsee.
20 Dann drehte er sich um und beobachtete das Coupé dritter
Klasse.

Neben dem Mann mit der roten Nase entdeckte er den
kleinen Herrn mit den abstehenden Ohren. Und den
Dritten auch, den er in der Nähe des Parks gesehen hatte.

25 Und ihnen gegenüber, zwischen lauter Gaunern, saß der
gutmütige, riesenhafte Tourist, der mit Irene Trübner im
d'Angleterre zusammengesessen hatte!

Diese Gruppierung begriff Rudi Struve nicht. Was
hatte der ehrbare Riese zwischen so vielen Gaunern zu
30 suchen? Oder war er vielleicht auch ein Gauner?

Struve eilte zu seinem Coupé zurück. Hoffentlich war
in seiner Abwesenheit keine Überraschung eingetreten!

Fräulein Trübner saß noch am alten Fleck.

Er setzte sich in seine Ecke.

Sie wandte ihm ihr Gesicht zu. Dann schaute sie 5
plötzlich seinen Hut an und lächelte.

Er begriff nicht, was los war, und nahm den Hut ab.

In seinem Hutband steckte ein Briefumschlag. „Ko=
misch,“ meinte er, nahm den Brief und öffnete ihn.

Auf dem Briefbogen stand, in großen Blocklettern 10
geschrieben: „WER SICH IN GEFAHR BEGIBT, KOMMT
DARIN UM!“

Er faltete den Bogen zusammen, steckte ihn in die
Tasche und runzelte die Augenbrauen.

„Etwas Unangenehmes?“ fragte sie. 15

„Ach nein,“ sagte er und war bemüht, harmlos zu
lächeln. „Ein Scherz von einem alten Bekannten!“

Das sechste Kapitel

Idiomatische Ausdrücke

Wo wollen Sie denn hin? Where are you going?

Er tat sehr erstaunt. He acted greatly surprised.

Er gab längere Erklärungen ab. He made lengthy explanations.

schweren Herzens, with a heavy heart.

Wenn er nichts dagegen hat. If he doesn't object.

Und Schnaps erst recht nicht. And especially no schnapps.

Ich komme mir wie Ihr Großvater vor. I feel like your grandfather.

Sie hatten Platz genommen. They had seated themselves.

wo alles zu finden war, where everything was to be found.

ob es gestattet sei, if he might join them.

Auf den deutschen Dampfern gibt's das nicht. They don't have that on the German boats.

Was wollen Sie damit sagen? What do you mean by that?

Irgend einen Grund dürfte es schon gehabt haben. There was probably some reason for it.

Davon ist gar nicht die Rede. That is not the question at all.

O, diese Zollbeamten!

Die Zoll- und Paßkontrolle war schon vorm Betreten der Fähre erledigt worden. Der Dampfer und die Eisenbahnwagen drunten im Schiffsbauch schwammen in der Ostsee, und die dänische Küste wurde blaß.

5 Fleischermeister Külz stand auf und griff nach seinem Koffer.

„Wo wollen Sie denn hin?" fragte Storm.

„In den Speisesaal. Ich habe Hunger. Kommen Sie mit, Herr Storm?"

54

„Sie müssen noch einen Augenblick Geduld haben, meine Herren," sagte einer der Fahrgäste. „Der Schiffs= zoll war noch nicht da."

„Nanu!" rief Storm und tat sehr erstaunt.

„Aber wir haben doch die Zollkontrolle schon hinter uns!" meinte Külz.

„Auf der Fähre wird noch einmal kontrolliert," erklärte der gut informierte Fahrgast.

„Das versteh' ich nicht," sagte Külz. „Auf der Herfahrt wurde das nicht gemacht."

„Sind Sie auf der deutschen Fähre gekommen?" fragte ein andrer Mitreisender.

„Jawohl, auf der deutschen!"

„Da haben Sie's," sagte der gut Informierte. „Und jetzt fahren wir auf der dänischen. Da ist man gründ= licher."

„Diese verdammten Bürokraten!" knurrte Philipp Achtel.

„Doppelte Buchführung," meinte ein andrer Fahrgast ironisch.

„Also schön," sagte Külz und setzte sich resigniert auf die grauen, karierten Hosen.

Herr Achtel holte seinen Koffer herunter, stellte ihn auf die Sitzbank und öffnete ihn. „Hoffentlich geht's rasch. Ich habe Durst."

Herr Karsten blickte zum Fenster hinaus und sagte nach einer Weile: „Dort kommt jemand in Uniform. Das scheint der Zollbeamte zu sein."

Die Coupétür öffnete sich. Ein Mann in Uniform stieg ein. Er salutierte und gab längere Erklärungen in einer fremden Sprache ab.

Philipp Achtel antwortete ihm, schüttelte den Kopf und
zeigte auf seinen Koffer.

Der Zollbeamte wühlte darin herum, machte ein ziem=
lich böses Gesicht und salutierte wieder. Nun öffneten die
5 anderen Fahrgäste ihre Koffer und Taschen. Der Uni=
formierte untersuchte sie auch.

„Haben Sie etwa Zigaretten oder Schokolade ge=
schmuggelt?" fragte Storm flüsternd.

„Nein," sagte Külz und schloß schweren Herzens seinen
10 Koffer auf.

Der Beamte trat zu ihm und fragte Verschiedenes in
seiner Sprache. Külz verstand ihn nicht.

Herr Achtel kam ihm zu Hilfe und redete lebhaft auf
den Mann ein. Dabei legte er seinen Arm um Külzens
15 Schulter.

Der Beamte griff in den Koffer, holte ein großes weiß=
leinenes Bündel hervor und fragte etwas.

„Er will wissen, was das ist," meinte Philipp Achtel.

„Das ist mein Nachthemd, wenn er nichts dagegen hat,"
20 antwortete Külz gereizt.

Die anderen lachten. Achtel erklärte dem Beamten
die Bedeutung des Bündels. Der Mann stopfte es in
den Koffer, machte dann den Kofferdeckel zu, blickte die
Fahrgäste streng an, salutierte kurz und kletterte wieder
25 aus dem Wagen.

Külz atmete auf, schloß erleichtert seinen Koffer zu
und steckte den Schlüssel sorgfältig in den Geldbeutel.
„Ein unangenehmer Kerl," sagte er. „Ich bin Ihnen
sehr dankbar, daß Sie mir so geholfen haben. Ich dachte
30 schon, er würde mein Nachthemd mitnehmen."

Der Beamte holte ein großes weißleinenes Bündel hervor.

„Und nun können Sie in den Speisesaal gehen, lieber
Külz," meinte der kleine Storm. „Ich bleibe hier unten.
Ich kann heute kein Wasser sehen. Und Schnaps erst
recht nicht!"

5 „Wir reservieren Ihnen Ihren Platz," meinte Karsten.

„Vielen Dank!" sagte Külz. „Sie sind alle so furchtbar
nett zu mir. Ich komme mir schon wie Ihr Großvater
vor." Er nahm seinen Koffer und öffnete die Wagentür.
Ehe er hinunterstieg, griff er in die Tasche, holte eine
10 Schachtel hervor und lächelte schadenfroh. „Sehen Sie,"
meinte er, „und ich habe doch Zigaretten geschmuggelt!"

Die Fahrgäste der ersten und zweiten Klasse hatten in
dem eleganten Speisesaal Platz genommen oder standen
in Bewunderung vor den langgestreckten Tafeln, auf
15 denen alles zu finden war, was Herz und Magen be=
gehren. Sie beluden ihre Porzellanteller mit den Herr=
lichkeiten und kehrten an ihre Tische zurück.

Dieser Weg wurde von vielen wiederholt zurückgelegt.
Denn ob man viel oder wenig aß, — der Preis war der
20 gleiche.

Herr Struve hatte sich zu Irene Trübner gesetzt, ob=
gleich sie, als er sich ihrem Tisch näherte, nicht gerade
einladend aussah.

Sie betrachteten einander prüfend, schwiegen und aßen.
25 Da erschien Fleischermeister Külz und sah sich suchend um.
Als er Fräulein Trübner entdeckte, leuchteten seine Züge
auf. Er wanderte vorsichtig über das spiegelglatte Par=
kett, bis er vor ihrem Tische stand. Er verbeugte sich und
fragte, ob es gestattet sei.

Sie lächelte und nickte.

„Külz," sagte der alte Tiroler und lüftete den Hut.

„Struve," erklärte der junge Mann.

Der Fleischermeister nahm Platz und sah sich um. „Aha! Hier ist Selbstbedienung." Er erhob sich wieder. „Darf ich Sie bitten, gut auf meinen Koffer zu achten?" fragte er die junge Dame und zwinkerte bedeutsam mit den Augen. Dann entfernte er sich.

„Sie kennen den Mann?" fragte Struve.

„Seit gestern. Ein sehr anständiger Mensch."

Dann kehrte Papa Külz zurück. Er balancierte einen schwer beladenen Teller, schielte nach seinem Koffer und sank erschöpft in den Stuhl. „Das richtige Delikatessen= geschäft," behauptete er. „Ich fürchtete schon, ich käme wegen der dummen zweiten Zollkontrolle überhaupt nicht mehr zum Essen!"

„Weswegen?" fragte der junge Mann.

„Wegen der zweiten Zollkontrolle," sagte Külz. „Auf den deutschen Dampfern gibt's das nicht. Nur auf den dänischen."

„Eine zweite Zollkontrolle?" fragte Struve. „Wann denn?"

Külz kaute. „Vor zehn Minuten. Ein Mensch mit einem abscheulichen Gesicht war's. War er denn nicht auch bei Ihnen?"

„Nein," flüsterte Fräulein Trübner. „Bei uns war er nicht, Herr Külz."

„Hier scheint man individuell behandelt zu werden," sagte Rudi Struve. „Ich beginne zu glauben, daß die zweite Kontrolle in einem einzigen Abteil stattgefunden hat."

Herr Külz fragte: „Was wollen Sie damit sagen?"

„Daß man sich für das Gepäck in Ihrem Coupé mehr als für die Koffer der übrigen Passagiere interessiert hat," erklärte der junge Mann. „Ich weiß natürlich nicht, wes= wegen. Aber irgendeinen Grund dürfte es schon gehabt haben."

Külz starrte Fräulein Trübner an und bewegte lautlos die Lippen. Sein buschiger grauer Schnurrbart zitterte. Hastig griff er nach seinem Koffer, legte ihn auf die Knie, holte den Geldbeutel hervor und nahm die Koffer= schlüssel heraus.

„Nicht hier!" sagte Fräulein Trübner. Es klang wie ein Befehl.

Herr Struve blickte nervös von einem zum andern.

„Ich werde verrückt," murmelte Külz. „Wenn der Herr recht hat, kann ich mich aufhängen."

„Nun verlieren Sie nicht den Kopf!" sagte Fräulein Trübner und stand auf. „Ich setze mich draußen in einen Liegestuhl. Sie, lieber Herr Külz, sehen irgendwo nach, wo Sie unbeobachtet sind, ob die Miniatur noch da ist. Und dann kommen Sie, bitte, sofort zu mir an Deck!"

Fleischermeister Külz erhob sich, nahm den Koffer und verließ den Speisesaal mit müden Schritten.

Irene Trübner entfernte sich durch die Seitentür, die zum Promenadendeck führte.

Der junge Herr, der Rudi hieß, folgte Külz in einiger Entfernung, postierte sich vor der Waschtoilette und wartete.

Fräulein Trübner hatte an Deck Platz genommen. Die Stühle neben ihr waren leer.

Schwere Schritte näherten sich.   Sie wandte den Kopf.
Es waren Külz und Struve.

Der junge Mann unterstützte den alten Mann, als führe

er einen Kranken.   Den Koffer trug er außerdem.   Ein
Stück weißes Leinen schaute heraus.   5

    Külz setzte sich neben die junge Dame.   „Fort!" sagte
er nur. „Fort!"

    „Man muß augenblicklich den Kapitän verständigen,"
meinte Herr Struve energisch.   „Die zweite Zollkontrolle

war ein Bluff. Herr Külz ist bestohlen worden. Niemand darf in Warnemünde das Schiff verlassen, bevor er von der Polizei untersucht worden ist."

„Mischen Sie sich, bitte, nicht in meine Angelegen=
5 heiten!" sagte Fräulein Trübner.

„Wieso in Ihre Angelegenheiten?" fragte er. „Herr Külz ist bestohlen worden, nicht Sie!"

„Doch sie!" murmelte der Fleischermeister. „Doch das Fräulein! Die Miniatur gehört doch ihr!"

10 „Die Miniatur?"

„Für sechshunderttausend Kronen," stammelte der alte Mann verzweifelt. „Das kann ich Ihnen nie ersetzen. Niemals, mein Fräulein."

„Davon ist ja auch gar nicht die Rede," sagte sie. „Die
15 Verantwortung trage ich allein."

„Großartig!" erklärte Herr Struve. „Und Sie wei= gern sich trotzdem, daß ich den Kapitän verständige?"

„Ich weigere mich ganz entschieden!"

Papa Külz hatte die Hände vors Gesicht gelegt und
20 schüttelte den Kopf. „Oh, sind die Menschen schlecht," stöhnte er. „Mich so zu betrügen! Der Zollbeamte war falsch! Und der Fahrgast, der von der zweiten Kontrolle zu reden anfing, war falsch!"

„Beruhigen Sie sich, lieber Herr Külz," sagte Fräulein
25 Irene Trübner. „Die Miniatur war auch falsch!"

Das siebente Kapitel

Idiomatische Ausdrücke

Er wußte nicht, was er von der Sache halten sollte. He didn't know what to think of the matter.

Entschuldigen Sie. Pardon me.

schon vor Jahren, already years ago.

Es geht mich nichts an. It's none of my business.

auf Schritt und Tritt verfolgen, dog a person's steps, shadow a person.

Ich saß in der Falle. I was trapped.

auf den Gedanken verfallen, hit upon the idea.

um Hilfe bitten, ask for help.

Damit war zu rechnen. That had to be taken into consideration; that was to be expected.

Ich tat, als ob ... I acted as if ...

Was wird nun? What next?

Nun macht aber einen Punkt. But now stop.

Lassen Sie mich nicht im Stich. Don't leave me in the lurch.

Rauchen Sie doch einmal! Why don't you smoke?

Zigaretten rauchen Sie wohl nicht? I suppose you don't smoke cigarettes?

Wie wär's mit? How about?

Meine Herren. Gentlemen.

Ich bin so frei. I take the liberty; thank you.

Der Koffer und die Zigarren

Alle drei lehnten an der Reling. Irene Trübner stand zwischen den beiden Männern.

Der Herr, der Rudi hieß, musterte das junge Mädchen, das neben ihm lehnte, und wußte nicht, was er von der Sache halten sollte.

„Entschuldigen Sie, liebes Fräulein," sagte Herr Külz. „Ich bin noch völlig durcheinander. Erst der Schreck und nun die Freude. Eins verstehe ich aber gar nicht. Wenn

63

die Miniatur, die mir diese Gauner gestohlen haben,
falsch war, brauchten Sie mir doch nicht einzureden, sie sei
echt!"

"Doch, Papa Külz! Das mußte ich Ihnen einreden,"
5 erwiderte sie. "Sind Sie mir deshalb böse?"

"Nein, böse sein kann man Ihnen wirklich nicht. Aber
warum," fragte er das Mädchen, "warum mußten Sie
mir einreden, daß die falsche Miniatur echt sei?"

"Aus einem höchst einfachen Grunde! Weil es zwei
10 Miniaturen gibt! Eine falsche und eine echte!"

Die beiden Männer verloren beinahe die Balance.

"Jawohl," sagte Irene Trübner. "Der amerikanische
Sammler, dem das Original gehörte, ließ schon vor
Jahren eine Kopie machen. Von einem amerikanischen
15 Holbein=Kopisten. Sie wurde auf Ausstellungen statt
der echten Miniatur gezeigt, ohne daß jemand davon
wußte. Die echte selbst auszustellen, war zu riskant.
Informiert waren nur der Sammler und sein Kustos.
Und neuerdings der Auktionator. Herr Steinhövel er=
20 warb die Kopie automatisch mit dem Original und de=
ponierte beides in einem Kopenhagener Banktresor."

"Und die Männer, die Sie bis zum Bahnsteig brachten?"
fragte Külz.

"Das waren Bankdetektive. Ist nun alles klar?"

25 "Nein," antwortete Herr Struve. "Es geht mich ab=
solut nichts an, aber ich wüßte gern, warum Sie nun
eigentlich Herrn Külz die Kopie gaben und ihm einredeten,
es sei das Original."

"Mich geht es zwar sehr viel an," brummte Külz.
30 "Aber ich wüßte es auch ganz gern."

Fräulein Trübner sagte mit einem mißtrauischen Seitenblick auf Struve: „Seit gestern mittag hatte ich das untrügliche Empfinden, daß man mich beobachtet und auf Schritt und Tritt verfolgt. Am Nachmittag brachten die Zeitungen die Meldung, daß Kunstgegenstände im Werte von einer Million Kronen verschwunden waren. Es war kein Zweifel: ich saß in der Falle. Ich wußte nicht, was ich tun sollte. Bis ich auf den Gedanken verfiel, Herrn Külz um Hilfe zu bitten." Sie legte ihre Hand dankbar auf den Arm des alten Herrn. „Wir blieben lange Zeit vor dem Hotel sitzen. Wenn man mich, wie ich glaubte, beobachtete, mußte das auffallen. Wir gingen in einen Park und setzten uns auf eine Bank, wo wir nicht belauscht, aber beobachtet werden konnten. Wahrscheinlich ist man uns gefolgt."

„Todsicher ist man Ihnen gefolgt!" sagte Herr Struve. „Das ist ja seit dem Raub der Kopie vollständig klar!"

„Wenn man uns aber gefolgt war," fuhr Fräulein Trübner fort, „dann mußte unsre nächste Begegnung doppelt gründlich beobachtet werden. Damit war zu rechnen. Und deshalb bestimmte ich den Bahnhof als Treffpunkt. Dort konnte sich leicht ein Dutzend Spitzel aufhalten. Sie mußten sehen, daß ich tat, als ob ich Herrn Külz nicht kennte. Und sie mußten sehen, daß ich ihm heimlich ein Päckchen in die Hand drückte. Das konnte, ihrer Meinung nach, nur die Miniatur sein. Also mußten sie Herrn Külz bestehlen. Nun, hab' ich nicht recht? Herr Külz wurde bestohlen! Die Miniatur ist fort! Glücklicherweise die falsche!"

„Wenn Sie mir wenigstens die Wahrheit gesagt hät=

ten!" meinte Külz. „Dann hätte ich vorhin nicht so einen
Schreck gekriegt."

„Lieber Herr Külz," sagte die junge Dame, „wenn ich
Ihnen die Wahrheit vorher gesagt hätte, wäre der Bluff
5 mißlungen. Denn Sie sind ein viel zu ehrlicher Mensch,
als daß Sie sich verstellen könnten. Die Diebe hätten
Ihnen sogleich angesehen, daß wir sie hineinlegen wollten."

„Das ehrt mich," meinte Külz. „Fahren Sie fort!
Was wird nun?"

10 „Nun ist die Bande davon überzeugt, die echte Miniatur
zu besitzen. Und vor Berlin wird man von unserm Schach=
zug nichts merken."

„Entschuldigen Sie, daß ich mich einmische," sagte
Struve. „Aber Sie müssen natürlich so tun, als wüßten
15 Sie von dem Diebstahl nicht das Geringste."

„Das ist die Hauptsache," bestätigte das junge Mädchen.
„Sonst war alles vergeblich."

Herr Struve dachte nach. Dann meinte er: „Also käme
für Herrn Külz erst jetzt der schwerste Teil seiner Auf=
20 gabe."

Irene Trübner nickte.

„Nun macht aber einen Punkt!" rief der Fleischer=
meister. „Ich bin ein gutmütiger alter Esel. Zugegeben.
Ich freue mich, daß ich mich nützlich machen konnte. Vor=
25 läufig habe ich aber genug vom Indianerspielen. Mir ist
schrecklich zumute. Und außerdem habe ich Hunger."

„Essen können Sie natürlich, bevor Sie . . ."

„Bevor ich was tue?" fragte Külz.

„Sie müssen wieder in Ihr Coupé!" erklärte der junge
30 Mann.

Külz trat erschrocken einen Schritt zurück und hob abwehrend beide Arme.

„Und Sie müssen sich mit den Fahrgästen unterhalten, als sei nicht das mindeste geschehen."

„Gut," erwiderte der alte Riese. „Wie Sie wünschen. Dann drehe ich aber leider dem Halunken, der mir das von der zweiten Zollkontrolle gesagt hat, den Hals um. Darauf können Sie sich verlassen, meine Herrschaften! Mit so einem Schuft soll ich mich freundlich unterhalten? Lächeln soll ich womöglich auch noch?"

„Selbstverständlich," sagte Rudi Struve. „Sehr viel lächeln!"

„Das Genick brech' ich ihm!"

„Lieber, guter Herr Külz," bat Irene Trübner. „Lassen Sie mich jetzt nicht im Stich! Bitte, bitte! Sonst war alles, was wir erreicht haben, zwecklos."

Külz stand unentschlossen da und kämpfte mit sich. Dann drehte er sich um und schritt zur Treppe.

Külz trat in das Abteil dritter Klasse.

„Herzlich willkommen!" rief Herr Achtel. „Hat das Essen geschmeckt?"

„Das kalte Büfett dort oben ist erstklassig," sagte Külz. „Ich könnte schon wieder essen!"

Er setzte sich, streckte die Beine aus und griff in die Brusttasche. Nachdenklich zog er die Hand zurück. Dann schüttelte er ärgerlich den Kopf und stand wieder auf.

„Was suchen Sie denn?" fragte Storm nervös.

„Ach, nur mein Zigarrenetui," antwortete Külz. „Es liegt im Koffer."

Die anderen saßen wie vom Blitz getroffen da.

Oskar Külz holte den Geldbeutel aus der Tasche und nahm den Kofferschlüssel heraus.

Herr Achtel faßte sich als Erster. „Wozu denn die Um-
5 stände?" rief er jovial. Er reichte ihm sein Etui. „Rauchen Sie doch einmal eine Zigarre von mir!"

„Oder von mir!" fiel Karsten ein.

Ein anderer fragte: „Zigaretten rauchen Sie wohl gar nicht? Wie wär's mit einer Lucky Strike?"

10 Papa Külz betrachtete die Etuis und Schachteln, die sich ihm entgegenstreckten, nicht ohne Rührung. „Außerordentlich liebenswürdig, meine Herren! Aber das kann ich doch gar nicht annehmen!"

Herr Philipp Achtel schien gekränkt. „Wollen Sie uns
15 beleidigen?"

„Behüte!" sagte der alte Mann erschrocken und steckte Schlüssel und Geldbeutel wieder in die Tasche. „Zigaretten habe ich selber. Die hab' ich doch aber für meine Kinder geschmuggelt." Endlich nahm er eine Zigarre aus
20 Achtels Etui. „Ich bin so frei."

Drei Passagiere gaben ihm Feuer.

Külz setzte sich und betrachtete die Herren voll Rührung. Das heißt, außer dem Halunken, der ihn mit der Zollkontrolle angeschwindelt hatte. „So viele reizende Leute,"
25 sagte er, und dann rauchte er gemütlich vor sich hin.

Die anderen atmeten auf und lächelten.

Plötzlich blickte Külz aus dem Fenster und zuckte zusammen.

Denn an der Reling stand der weißbärtige Herr aus der
30 Pension Curtius und schaute herüber.

„Rauchen Sie doch einmal eine Zigarre von mir!"

Das achte Kapitel

Idiomatische Ausdrücke

Wie hieß sein Geheimnis? What was his secret?

Er war nicht mehr ganz beisammen. He was no longer quite all there.

Alles wäre gut gegangen. Everything would have turned out all right.

Und ob! Did he!

Bitte schön. Please; out with it.

jemand ins Bild setzen, give some one a true picture of a situation.

was sonst noch alles passiert, what else may yet happen.

von dem die Rede ist, of whom we're talking.

Nun gut. Well, all right.

Er lief ihm in den Weg. He ran across his path.

Es lag daran. It was due to the fact.

Sie taten, als seien sie fremd miteinander. They acted as if they were strangers.

nach wie vor, now as before.

Es ist noch nicht zu Ende. It is not yet finished.

Es ist aus. It is finished.

Lassen Sie mich los. Let me go.

Was fällt Ihnen denn ein? What's getting into you?

Es hat alles seine Grenzen. There's a limit to everything.

Bitte sehr. Don't mention it.

Das Märchen vom braven Mann

Der Herr, der Rudi hieß, lag der Länge nach in einem Bordstuhl. Er hatte die Augen geschlossen und schien zu schlafen.

Irene Trübner, die neben ihm saß, musterte ihn kritisch.

5 Würde es sich rächen, daß er ihr Geheimnis erfahren hatte? Und wenn er ein Gauner war, — warum gab er ihr und Papa Külz nützliche Ratschläge? Ihr Geheimnis wußte er nun. Aber wie hieß das seine?

Der junge Mann erwachte dadurch, daß ihn jemand rüttelte. Es war Irene Trübner. „Verzeihen Sie," flüsterte sie. „Aber Herr Külz behauptet, den Herrn mit dem weißen Bart und der dunklen Brille bereits gestern abend in Kopenhagen kennengelernt zu haben." 5

Oskar Külz, der sich in einen freien Stuhl gesetzt und den Koffer gewissenhaft daneben gestellt hatte, nickte. „Ja= wohl. In der Pension Curtius."

„Irgendwo muß schließlich jeder Mensch wohnen," behauptete Struve. „Warum also soll er nicht mit Ihnen 10 in der gleichen Pension gewohnt haben?"

„Ich habe nicht in der Pension Curtius gewohnt. Ich ging nur hin, um Herrn Storm dort abzugeben."

„Wer ist Herr Storm?" fragte der junge Mann.

„Ein Bekannter von mir. Ein sehr netter Mensch. 15 Ich lernte ihn gestern in dem Hotel kennen, in dem ich auch Fräulein Trübner kennenlernte. Er half mir, als ich Briefmarken verlangte. Die Karte habe ich dann ver= gessen, in den Kasten zu stecken."

„O je," sagte Fräulein Trübner. „Ihre arme Frau!" 20

Rudi Struve setzte sich neugierig auf. „Trafen Sie Herrn Storm wieder, lieber Herr Külz?"

„Ja. Gegen Abend. Ganz zufällig. Er stand vor einem Kunstgeschäft. Und ich sprach ihn an. Er be= hauptete, der Schnaps sei in Kopenhagen besser als anders= 25 wo. Und dann lud er mich ein."

„Und dann trank er Sie unter den Tisch?"

„Unterm Tisch lag zum Schluß, wenn ich ehrlich sein soll, Herr Storm. Als ich ihm zutrinken wollte, war er weg. Er saß neben seinem Stuhl und war nicht mehr 30 ganz beisammen. Erst als ihm der Kellner kaltes Wasser über den Kopf goß, fiel ihm seine Adresse wieder ein."

„Die besagte Pension Curtius."

„Ganz recht," meinte Külz. „Ich lieferte ihn dort ab. Die Wirtsleute waren ausgegangen. Nur ein einzelner Herr war da. Ein Mieter. Mit einem weißen Bart und einer dunklen Brille. Er wohnte erst einen Tag dort und mußte deshalb nicht, ob Storm in der Pension wohnte. Ich lud Storm auf dem Sofa im Speisezimmer ab und fuhr in mein Hotel."

„Sie trafen Herrn Storm vermutlich heute auf dem Bahnhof wieder?" fragte Struve.

„Wir hatten es so verabredet," sagte Külz. „Ich war froh, nicht allein reisen zu müssen, sondern mit einem Bekannten. Vor allem wegen der Miniatur in meinem Koffer."

„Hatten Sie ihm davon erzählt?"

„Nein. Aber wenn nicht der Kerl am Fenster die Geschichte mit der zweiten Zollkontrolle erfunden hätte, wäre alles gut gegangen. Aber auf diesen Schwindel sind natürlich alle anderen im Abteil hereingefallen!"

„Lauter nette Leute, was?" fragte Struve.

„Ganz reizende Menschen," bestätigte Külz.

„Natürlich," sagte Struve. „Eine Frage, lieber Herr Külz. Wie kamen Sie eigentlich in das nette Coupé? Wollten Sie hinein? Oder Ihr Bekannter?"

„Ich wollte eigentlich erst in ein andres Abteil. Doch da saß eine alte Dame drin. Und Herr Storm ist abergläubisch. Alte Damen bringen ihm Unglück. Darauf mußte ich Rücksicht nehmen."

„Selbstverständlich," meinte Struve.

„Unser Coupé fand dann Herr Storm. Er fragte einen Herrn, der aus dem Fenster sah, ob noch Platz sei."

„Und es waren gerade noch zwei Plätze frei?"

„Jawohl."   5

„Und der Herr, der aus dem Fenster blickte, hatte eine kupferrote Nase," vermutete Struve. „Stimmt's?"

Fräulein Trübner staunte.

„Und ob!" rief Papa Külz. „Auch ein sehr reizender Mensch."   10

„Und nun noch eine bescheidene Frage, lieber Herr Külz."

„Bitte schön."

„Die Insassen Ihres Coupés kennen einander nicht!"

„Ganz gewiß nicht. Aber, wie gesagt, sie sind alle 15 reizend! Und so liebenswürdig! Vorhin wollte ich mein Zigarrenetui aus dem Koffer holen. Glauben Sie, sie hätten das zugelassen? Ausgeschlossen! Alle boten mir Zigarren und Zigaretten an. Schade, daß Sie das nicht gesehen haben. Es war rührend!"   20

Rudi Struve konnte nicht mehr ernst bleiben. Er lachte laut auf.

Papa Külz war entrüstet. „Was gibt's denn da zu lachen? Bloß weil wildfremde Menschen höflich sind? Sehr fein ist das nicht, junger Mann."   25

„Nein," erwiderte Struve. „Fein ist das nicht, aber verständlich." Er war wieder ernst geworden. „Gnädiges Fräulein, ich halte es für dringend notwendig, Herrn Külz ins Bild zu setzen. Wer weiß, was sonst noch alles passiert."   30

Irene Trübner nickte mit dem Kopfe.

„Lieber Herr Külz," sagte Struve. „Ich muß Ihnen eine Geschichte erzählen, die Sie noch nicht kennen."

„Schießen Sie los!"

5 „Also, — es war einmal ein Mann, der sehr anständig war und deswegen alle anderen Menschen für genau so anständig hielt."

„Es war einmal?" fragte Külz. „Das klingt ja wie ein Märchen!"

10 „Es ist auch eines," erwiderte der junge Mann freund= lich. „Der brave Mann, von dem die Rede ist, kam eines Tages in einer fremden Stadt in ein fremdes Hotel und lernte dort eine schöne Prinzessin kennen, die ihn um Hilfe bat. Da er ein braver Mann war, war er natürlich

15 sofort einverstanden. Die schöne Prinzessin wurde von einer Räuberbande verfolgt, die einen kostbaren Schmuck stehlen wollte, den sie besaß. Einige Räuber beobachteten das Gespräch zwischen ihr und dem braven Mann von ferne. Sie dachten sich ihr Teil und beschlossen, sich mit

20 ihm anzufreunden. Deshalb sprach ihn einer von den Räubern an. Ein Mensch, der sehr hohe und abstehende Ohren hatte. Der brave Mann fand, der andere sei eben= falls ein braver Mann. Aber als der wirklich brave Mann mit der verfolgten Prinzessin das Hotel verließ,

25 ging der Räuber mit zweien seiner Kumpane hinter dem Paare her. Interessiert Sie das Märchen?"

„Gewiß," sagte Herr Külz. „Schöne Prinzessinnen waren schon immer eine Schwäche von mir."

„Nun gut. Als sich der brave Mann von der Prinzessin
30 verabschiedet hatte, beschloß der kleine Kerl, den anderen

betrunken zu machen. Denn die Räuber hofften, von dem
braven Mann die Pläne der Prinzessin zu erfahren. Der
Kerl mit den abstehenden Ohren lief also dem braven
Mann zufällig in den Weg. Und sie gingen zusammen
ins Wirtshaus. Nun konnte aber der brave Mann mehr 5
Schnaps vertragen als der kleine Gauner. Und so kam
es, daß der brave Mann den Räuber in dessen Wohnung
ablieferte. Die Wirtsleute waren nicht da, weil die
Wohnung gar keine Wirtsleute hatte, sondern eine Räu=
berhöhle war. Der Herr mit dem weißen Bart und der 10
dunklen Brille, der die Tür aufschloß, war der Räuber=
hauptmann. Und in allen Zimmern warteten seine Unter=
gebenen. — Der brave Mann lieferte den betrunkenen
Räuber ab und ging nach Hause. Daß er gesund und
lebendig davonkam, lag einmal daran, daß ihn die Bande 15
noch brauchte, und zum andern daran, daß solch brave
Männer im Märchen sehr einflußreiche Schutzengel haben.“

Papa Külz saß stumm im Stuhl. Sein Mund stand
ziemlich weit offen, und der graue, buschige Schnurrbart
zitterte. 20

„Am folgenden Tag,“ berichtete Struve, „übergab die
schöne Prinzessin dem braven Mann den Schmuck, den die
Räuberbande rauben wollte. Einige Räuber sahen das.
Kurz darauf erschien der Dieb, der so seltsame Ohren
hatte, und sie suchten ein passendes Eisenbahnabteil. Sie 25
setzten sich natürlich nicht in das Abteil, in das der brave
Mann wollte, sondern in jenes, aus dem ein Mensch mit
einer roten Nase heraussah. Das war kein Wunder.
Denn der Mensch mit der roten Nase gehörte zu der gleichen
Bande wie der Dieb mit den sonderbaren Ohren. Und 30

nicht nur diese beiden gehörten dazu, sondern sämtliche
Männer, die in dem Eisenbahnabteil saßen und so taten,
als seien sie fremd miteinander. Sie hatten einen Plan
gemacht. Der Plan war nicht schlecht. Denn er war
5 auf einem mächtigen Fundament erbaut. Auf der Leicht=
gläubigkeit des braven Mannes. Einer der Bande erschien
als Zollbeamter. Sie öffneten das Gepäck, und so stahl
er den Schmuck aus dem Koffer, ohne daß der brave
Mann es merkte. Nur als er, weil er Hunger hatte, das
10 Abteil verließ, wurden sie unruhig. Doch der brave Mann
kehrte zurück und war nach wie vor freundlich zu ihnen.
Also konnte er nichts von alledem wissen. Nur als er auf=
stand und aus seinem Koffer Zigarren herausnehmen
wollte, — da bekamen sie einen gewaltigen Schreck. Er
15 durfte den Koffer um keinen Preis öffnen! Deswegen
beeilten sie sich alle und boten dem Manne Zigarren und
Zigaretten an. Und er war, weil er ein braver Mann war,
von soviel Liebenswürdigkeit bis zu Tränen gerührt."

Herr Struve machte eine Pause.

20 Fleischermeister Oskar Külz aus Berlin ballte die
Fäuste. Sein Gesicht war blutrot.

"Bis hierher reicht das Märchen," berichtete Struve.
"Aber es ist noch nicht zu Ende."

"Doch!" Herr Külz stand auf. "Das Märchen ist aus!"
25 Er ergriff seinen Stock und ging, ohne mehr zu sagen, mit
schweren Schritten zur Treppe.

Die jungen Leute blickten dem alten Riesen erstaunt
nach. Dann sprangen sie im selben Augenblick auf und
rannten hinter ihm her.

30 "Wo wollen Sie hin?" fragte Irene Trübner ängstlich.

Er schob ihre Hand unsanft beiseite. „Ins Coupé!"

„Und was wollen Sie dort tun?" fragte Struve.

„Ich schlage die Schufte tot," sagte der alte Mann. „Mit der flachen Hand. Lassen Sie mich los!"

„Nein," erwiderte der junge Mann. „In Ihr Coupé 5 lasse ich Sie in dieser Verfassung nicht!"

Herr Külz, dieser gutmütige Mensch, hob die Faust, um den Herrn, der Rudi hieß, zu schlagen.

Da trat Irene Trübner zwischen beide und sagte: „Papa Külz! Was fällt Ihnen denn ein! Ich denke, 10 Sie wollen mir helfen?"

„Es hat alles seine Grenzen," knurrte er. „Außer meiner Dummheit natürlich." Dann ließ er die er= hobene Faust sinken und sagte zu dem anderen: „Ent= schuldigen Sie!" 15

„Bitte sehr."

Fräulein Trübner nahm den Riesen beim Arm und zog ihn Schritt um Schritt zu den Bordstühlen hin. „Alle Räuber werden Sie doch nicht totschlagen können."

„Nein. Nur die im Coupé." 20

Rudi Struve lachte. Dann meinte er skeptisch: „Mit zehn Fingern gegen zehn Revolver kämpfen ist Geschmack= sache." Er drückte den braven Mann in einen Stuhl.

Sie saßen lange Zeit wortlos beisammen. Irene Trübner zeigte mit der Hand nach dem Horizont. Die 25 deutsche Küste kam in Sicht.

„Es geht nicht!" meinte Külz nach einer Weile. „Ich kann mit den Kerlen nicht zusammenbleiben. Ich steige in Warnemünde aus. Sonst passiert ein Unglück. Ich muß sofort vom Schiff herunter!" 30

Das neunte Kapitel

Idiomatische Ausdrücke

es sei denn bares Geld, unless it be hard cash.

Ich habe euch doch gesagt! I've told you, haven't I?

Was gibt's? What's the matter?

Laß deine Witze. Stop your joking.

Er strich sich den Bart. He stroked his beard.

Ob sie was gemerkt haben? Do you think they noticed anything?

Ich habe mir's anders überlegt. I've changed my mind.

Ich will mir wieder einmal Rostock ansehen. I want to see Rostock for a change.

vor allem, above all.

Was soll das heißen? What does that mean?

Da wären wir denn. Well, here we are.

Sie wollte sich erheben. She was about to rise.

um die gleiche Zeit, at the same time.

auf der Stelle, at once.

So hieß es. So it said.

mein Leben lang, all my life.

früh um fünf, at five in the morning.

Was blieb den Männern übrig? What else was there for the men to do?

Es ging hoch her. They had a great time.

Mir ist nichts aufgefallen. I didn't notice anything.

Es ist gut. All right.

Schämen Sie sich. You ought to be ashamed.

Mich friert. I am chilly.

Ein bißchen plötzlich. Make it snappy.

Post in Warnemünde

In Warnemünde hatte der Zug den Dampfer verlassen. Und nun fuhr er wieder zwischen Wiesen und Feldern hin und an Dörfern und Viehherden vorüber.

In einem Abteil zweiter Klasse unterhielt sich ein weiß=
5 bärtiger Herr, der eine dunkle Brille trug, mit einem Textilfabrikanten über den europäischen Außenhandel.

Die beiden Männer beſprachen die Gefahren, die einem
Kontinent wie Europa dadurch erwachſen, daß er Roh=
ſtoffe importieren muß und nichts mehr ausführen kann,
es ſei denn bares Geld.

Da ging ein kleiner Herr draußen im Gang vorüber. 5
Ein Herr, der ſehr hohe Ohren hatte. Er blickte keines=
wegs in das Coupé herein.

Doch der weißbärtige Herr erhob ſich, murmelte eine
Entſchuldigung und begab ſich eilig auf den Gang.

Der kleine Herr ſtand am Ende des Waggons und 10
ſchaute, als ob er träume, aus dem Fenſter.

Der Weißbärtige trat neben ihn. „Ich habe euch doch
geſagt, daß ihr nicht hierherkommen ſollt!“ flüſterte er
ärgerlich.

„Ich kann ja wieder gehen,“ ſchlug der Kleine vor. 15
„Was gibt’s?“

„Külz iſt verſchwunden!“

„Beſtimmt?“

„Außer, er ſteht auf der Lokomotive.“

„Laß deine dummen Witze!“ 20

„Steinhövels Sekretärin iſt auch fort.“

Der andere ſtrich ſich den weißen Bart.

„Und der junge Mann, der dem Mädchen ſeit geſtern
am Rock hing —“

„Ja. Ob ſie was gemerkt haben?“ fragte der kleine 25
Herr leiſe.

„Dann wäre die Polizei ſchon da.“

„Vielleicht wartet ſie in Berlin am Bahnhof.“

Der weißbärtige Herr runzelte die hohe Stirn. Dann
ſagte er: „Alle in Roſtock ausſteigen! Ich wohne im 30

Hotel Blücher. Als Professor Horn. Klettert nicht alle aus dem gleichen Wagen! Verteilt euch und setzt euch ins Café Flint! In den ersten Stock. Stellt einen Posten aus! Ich komme vorbei und gebe neue Anweisungen."

„Ich habe euch doch gesagt, daß ihr nicht hierherkommen sollt!"

5   „Gut, Chef!" meinte Storm. „Wird gemacht." Dann kehrte er in seinen Waggon zurück.

Der andere blieb noch eine Weile am Fenster stehen. Dann ging er in sein Abteil und hob den Koffer aus dem Gepäcknetz.

„Nanu!" meinte der Textilfabrikant. „Ich dachte, Sie führen auch nach Berlin?"

Der andere setzte den Hut auf, legte den Mantel sorg= fältig über den Arm und sagte: „Ich habe mir's anders überlegt. Ich will mir wieder einmal Rostock ansehen. 5 Vor allem die alte Alma Mater. Ich habe hier drei Semester studiert."

Er lüftete den Hut und trat in den Gang hinaus.

Kurz darauf hielt der Zug. Der Herr Professor stieg aus, verließ den Bahnhof und spazierte durch die Straßen. 10 Später winkte er einem Taxi, kletterte hinein und sagte zum Chauffeur: „Hotel Blücher!"

Er lehnte sich zurück und dachte: ‚Steinhövels Leute sind verschwunden. Die Polizei hat uns nicht behelligt. Was soll das heißen?' 15

Auf seinen Knien lag der Koffer. Er betrachtete ihn aufs zärtlichste und schien zufrieden.

Im Hotel Beringer in Warnemünde waren soeben drei neue Gäste abgestiegen. Sie hatten drei nebeneinander= liegende Zimmer genommen und trafen sich, nachdem sie 20 sich gewaschen hatten, in der Hotelhalle.

„Da wären wir denn!" sagte Rudi Struve. „Ich habe davor gewarnt, auszusteigen. Sie haben es trotzdem getan. Was machen wir nun?"

„Es ist alles meine Schuld," antwortete Fleischer= 25 meister Külz. „Ich habe mich sehr dumm benom= men."

„Keine Vorwürfe, Papa Külz! Herr Struve sieht Ge= spenster. Unsre Räuberbande ist sicher froh, daß sie Ihnen

die Miniatur gestohlen hat. Und sie wartet bloß darauf,
in Berlin verschwinden zu können."

„Ganz wie Sie wünschen," erklärte Rudi Struve
höflich.

5   Irene Trübner blickte froh zum Hotelfenster hinaus.
„Hier bin ich, hier bleib' ich. Morgen fahren wir mit dem
ersten Zug nach Berlin. Das ist früh genug." Sie
wandte sich an den jungen Mann. „Oder werden Sie in
Berlin erwartet?"

10   „Höchstens von meiner Wirtin," sagte er. „Sie hat
sicher Angst wegen der Miete. Im übrigen stehe ich völlig
allein. Ohne Weib und Kind."

Die junge Dame beeilte sich, das Thema zu wechseln.
„Lieber Herr Külz, ich habe eine Bitte an Sie."

15   „Schon erfüllt!" sagte er.

„Rufen Sie Ihre Gattin an!" bat das Mädchen. „Seit
Sonntag ist Ihre Familie in Unruhe. Niemand weiß,
wo Sie sind. Die Ansichtskarte haben Sie in Kopenhagen
liegen lassen. Ich kann das nicht länger mit ansehen."

20   Külz zog eine Grimasse.

„Wenn Sie nicht telephonieren, tue ich's," sagte sie und
wollte sich erheben.

„Nein. Dann tue ich's lieber selber," sagte Külz.

Er erhob sich stöhnend, begab sich ins Hotelbüro und
25 meldete ein Ferngespräch nach Berlin an.

Die beiden jungen Leute waren allein.

„Wo wohnen Sie eigentlich?" fragte Rudi Struve.

„Im Hotel Beringer."

„Nicht möglich," sagte er. „Ich meinte allerdings,
30 wo Sie in Berlin wohnen."

„Ach so. Am Kaiserdamm."

„Ich wohne nämlich in der Holtzendorffstraße. Da haben wir's gar nicht weit zueinander."

Um die gleiche Zeit ließ sich ein weißbärtiger Herr vor dem Café Flint in Rostock von einem Mann, der dort stand, Feuer geben und sagte: „Storm soll auf der Stelle zwei Mann im Auto nach Warnemünde schicken. Fünf andere müssen hier am Bahnhof alle Züge kontrollieren, die von Warnemünde hereinkommen."

„Gut, Chef," antwortete der Mann.

„Und wer die drei entdeckt, ruft sofort Professor Horn im Hotel Blücher an! Du fährst mit nach Warnemünde."

„Was ist denn los?"

„Halt's Maul!" erwiderte Professor Horn, zog höflich vor dem andern den Hut und ging über die Straße.

Als Irene Trübner am Abend mit ihren zwei Begleitern von einem Spaziergang zurückkehrte, blieb sie vor einem Tanzlokal stehen und studierte die Schilder, die im Vorgarten angebracht waren. Auf diesen Schildern wurde den Kurgästen mitgeteilt, daß am Abend ein Kostümball stattfände. Kostüme, so hieß es, seien zwar erwünscht, aber keineswegs absolut notwendig.

„Zu diesem Ball gehen wir!" entschied Fräulein Trübner.

„Lieber nicht," riet Papa Külz. „Sobald ich Musik höre, schlafe ich ein. Besonders nach dem Abendbrot. Ich habe mein Leben lang früh um fünf aufstehen müssen."

Aber Fräulein Trübner bestand darauf. Was blieb den Männern übrig? Sie gaben selbstverständlich nach.

Über die Landstraße, die von Rostock nach Warne=
münde führt, raste eine Kette von Autos. Es waren
sechs Rostocker Taxen. Im ersten Wagen, der mit seinen
Scheinwerfern die nächtliche Straße ableuchtete, saß ein
5 einzelner Fahrgast. Weißbärtig und mit dunkler Brille.
Er öffnete das Schiebefenster, das ihn vom Chauffeur
trennte. „Schneller!" kommandierte er. „Soviel Zeit
wie Sie hat nicht jeder."

Im zweiten Wagen saßen die Herren Storm, Achtel
10 und Karsten. Und ein Vierter, der wie ein Ringkämp=
fer aussah. Groß und bullig. Mit einem Nacken wie
ein Baumstumpf. Sie rauchten und unterhielten sich
leise.

In dem Tanzlokal ging es hoch her. Die Gäste waren
15 in allerlei Kostümen erschienen. Manche kamen spanisch.
Andere als Matrosen. Wieder andere antik. Auch Edel=
leute aus dem Zeitalter des Rokoko erschienen.

Die Kapelle war sehr temperamentvoll. Und obgleich
Irene Trübner einen Tisch gewählt hatte, der vom
20 Orchester weit entfernt lag, kämpfte Fleischermeister Külz,
kaum daß er sich gesetzt hatte, schon mit dem Schlaf.

Die jungen Leute saßen lächelnd neben ihm und waren
entschlossen, seinen Schlaf zu behüten.

„Ich habe euch gewarnt," sagte der alte Mann. „Ich
25 weiß nicht, wie's kommt. Aber wenn ich Musik höre,
bin ich erledigt. Aber ihr könnt tanzen gehen."

„Sollen wir Ihnen nicht lieber Gesellschaft leisten?"
fragte das junge Mädchen.

„Nein, das sollt ihr nicht."

Sie standen auf und gingen an vielen Tischen vorbei
bis zum Parkett. Sie tanzten einen langsamen Walzer
miteinander, der kein Ende fand. Als die Kapelle endlich
doch Schluß machte, wurde so lange applaudiert, bis sie
einen Tango spielten.								5

Als dieser zu Ende war, wanderten sie zu dem Tische
zurück. Papa Külz schlief. Sie sahen und hörten ihm
eine Weile zu. Dann meinte Struve: „Wollen wir ihn
ins Bett bringen?"

In demselben Augenblick riß Külz die Augen auf und		10
war sehr erstaunt.

„Ach so," sagte er dann. „Ich wußte erst gar nicht, wo
ich bin!" Er wollte weitersprechen. Doch plötzlich wurden
seine Augen groß und rund wie bei einer Puppe. Er
starrte entsetzt auf den Tisch.						15

Die jungen Leute folgten seinem Blick. Fräulein
Trübner wurde weiß wie eine Kalkwand und flüsterte
heiser: „Das ist doch nicht möglich."

Auf dem Tisch lag ein Päckchen!

Es war das gleiche Päckchen, das sie mittags in Kopen=	20
hagen Herrn Külz gegeben hatte, als sie durch die Sperre
gingen! Und es war dasselbe Päckchen, das Herrn Külz
auf der Fähre von einem falschen Zollbeamten gestohlen
worden war!

Der alte Mann griff sich an den Kopf. „Schlafe ich	25
noch?" fragte er.

„Nein," sagte Rudi Struve. „Aber warum sind Sie
denn so aufgeregt?"

Külz zeigte auf das Päckchen und flüsterte: „Das ist
doch die falsche Miniatur!"						30

Auf dem Tisch lag ein Päckchen!

Struve sah Fräulein Trübner an. Sie nickte.

„Und ein Brief liegt daneben," sagte Külz. Er griff danach.

Der junge Mann rief den Kellner. „War in den letzten Minuten eine fremde Person an unserm Tisch?"

„Mir ist nichts aufgefallen, mein Herr."

„Oder hat ein Bote etwas abgegeben?"

„Nicht, daß ich wüßte, mein Herr."

„Es ist gut," erklärte Struve. „Ich danke."

Der Kellner zog sich zurück.

Fleischermeister Külz holte die Lesebrille aus der Tasche und öffnete den Briefumschlag. Als er die Brille auf=setzte und den Briefbogen aus dem Kuvert zog, zitterten ihm die Finger. Er faltete den Bogen auseinander und las, was auf dem Bogen stand.

„WIR SIND ZWAR," hieß es in dem Brief, „AN FRECHHEITEN JEDEN GRADES GEWOHNT. ABER WAS SIE SICH UNS GEGENÜBER ERLAUBT HABEN, IST FRAGLOS DER GIPFEL DER UNVERSCHÄMTHEIT. UND SIE WOLLEN EIN ANSTÄNDIGER MENSCH SEIN? SCHÄMEN SIE SICH! AUF WIEDERSEHEN!"

Er reichte den Brief den beiden andern.

Rudi Struve mußte trotz der ernsten Situation lachen. „Die Gauner sind moralisch entrüstet!" sagte er. „Auch das noch. Es wird immer schöner."

Irene Trübner saß blaß und schweigsam in ihrer Ecke, preßte die Handtasche eng an sich und blickte mit ängstlichen Augen um sich.

Herr Külz war empört. „Ich soll mich schämen?" fragte er wütend. „Das hat mir in meinem ganzen Leben

noch kein Mensch zu sagen gewagt." Er dachte nach.
Dann meinte er treuherzig: „Außerdem hab' ich doch selber
geglaubt, es sei die echte!"

„Das können Sie ja Ihren Bekannten aus dem Coupé
5 erzählen, wenn wir ihnen das nächste Mal begegnen," schlug
Rudi Struve lächelnd vor. „Unsre Herren Räuber lieben
es, Briefe zu schreiben." Er nickte Papa Külz munter zu.
„Mit mir haben sie auch schon korrespondiert."

„Wann denn?"

10 „Während ich mir heute mittag auf der Fähre Ihr
Coupé ein bißchen näher betrachtete, steckten sie mir heim=
lich einen Brief an den Hut."

„Warum haben Sie mir nicht schon im Zug die
Wahrheit gesagt?" fragte Irene Trübner.

15 „Wozu denn?" Er lächelte. „Sie hätten sich doch nur
um mich gesorgt. Oder etwa nicht, schöne Prinzessin?"

„Ich will ins Hotel," erklärte Fräulein Trübner auf=
geregt. „Ich will auf der Stelle ins Hotel. Ich bleibe
keine Minute länger hier!"

20 „Das geht leider nicht," sagte Rudi Struve. „Glauben
Sie denn, die Kerle haben uns nur die falsche Miniatur
zurückgebracht und sind dann nach Berlin gefahren?"

„Was glauben Sie denn?" fragte Külz.

„Was steht als letzte Bemerkung in dem Brief, den
25 Sie eben erhalten haben?" fragte Struve.

Fleischermeister Külz faltete den Bogen noch einmal
auseinander, blickte hinein und las: „Auf Wiedersehen!"

„Eben! Wir können keinen Schritt vor die Tür tun,
ohne daß mindestens ein Dutzend starker Männer über
30 uns herfällt."

„Viel Vergnügen," sagte Külz. „Und ich habe meine Stock im Hotel gelassen!" Er beugte sich zu Fräulein Trübner und fragte leise: „Wo ist die echte Miniatur?"

„Ich, — ich habe sie bei mir." Sie biß die Zähne zusammen, um nicht zu weinen.

5

„Wenn ich nur meinen Spazierstock nicht vergessen hätte!" meinte Papa Külz wieder.

„Der Stock würde Ihnen auch nicht helfen," antwortete Rudi Struve und begann, die Gesichter der übrigen Gäste sorgfältig zu prüfen. „Wenn man wenigstens eine Ah= nung hätte, was für einen Plan unsre Freunde haben!"

10

Irene Trübner flüsterte: „Mich friert."

Külz winkte dem Kellner und sagte: „Drei große Cognaks. Aber ein bißchen plötzlich!"

Final starts here

Das zehnte Kapitel

Idiomatische Ausdrücke

Der Ball geht zu Ende. The ball is approaching its end.

Der Ball nahm seinen Fortgang. The ball continued.

Es ging lustiger zu. Things were getting merrier.

Ich weiß mir schon zu helfen. I can get along all right.

Es geht um 600 000 Kronen. 600,000 crowns are at stake.

Es wird kaum einen Zweck haben. It will probably be useless.

sich telephonisch in Verbindung setzen mit, telephone to.

Ich denke gar nicht daran! I wouldn't dream of it!

So eine Frechheit war noch nicht da! I have never seen such impudence!

daß ihm Hören und Sehen vergeht, so that he'll lose sight and hearing; so that he can neither see nor hear.

Das Lokal versank in schwarze Nacht. The place was plunged into utter darkness.

Es ging zärtlich zu. Couples became amorous.

Was sollte das bedeuten? What was the meaning of that?

Der Dieb ist jemand anders. The thief is some one else.

Immer hübsch einer nach dem andern. Just one at a time.

Ein Kellner kam gerannt. A waiter came running.

Es stimmt. Keep the change.

Der Kostümball geht zu Ende

Der Ball nahm seinen Fortgang. Die Kapelle spielte nicht weniger laut als vorher. An den Tischen, in den Logen und Nischen ging es immer lustiger zu. Die leeren Weinflaschen vermehrten sich wie die Kaninchen. Gäste
5 gingen. Neue Gäste kamen.

„Warum schauen Sie denn immer nach der Tür?" fragte Külz. „Noch eine Miniatur wird man uns kaum hereinbringen! Wir haben sie ja schon alle beide."

„Das ist es eben," entgegnete Rudi Struve.

90

Der Fleischermeister stöhnte. „Auf einem solchen Pul=
verfaß habe ich in meinem ganzen Leben noch nicht ge=
sessen." Zärtlich wie ein besorgter Vater sah er zu Irene
Trübner hinüber. „Und unsere Prinzessin sagt gar
nichts?" 5

Sie zuckte zusammen. „Meine Herren! Sie sind durch
mich in eine schreckliche Lage gekommen. Was haben Sie
beide eigentlich mit der ganzen Sache zu tun? Wie?
Ich bitte Sie, mich auf der Stelle allein zu lassen! Gehen
Sie ins Hotel, oder fahren Sie nach Berlin oder nach 10
Kopenhagen! Fahren Sie, wohin Sie wollen! Aber
gehen Sie!"

„Und was wird aus Ihnen?" fragte der junge Mann.

„Oh, ich weiß mir schon zu helfen," erklärte sie. „Ich
schicke einen Kellner oder den Zigarettenboy zum nächsten 15
Polizisten."

Rudi Struve zog die Brauen hoch. „Was soll der
nächste Polizist mit zwei Dutzend Verbrechern anfan=
gen?"

Sie antwortete nicht. 20

„Es geht um sechshunderttausend Kronen," fuhr er fort.
„Man hat schon um drei Mark zwanzig Pfennig zwei bis
drei erwachsene Menschen totgeschlagen."

Sie sagte: „Ich kann ja auch das Rostocker Polizei=
präsidium anrufen." 25

„Natürlich können Sie das," gab er zu. „Doch einen
Zweck wird es kaum haben. Denn wir sind fraglos um=
stellt, gnädiges Fräulein! Völlig umstellt! Außerdem
haben unsere Freunde bestimmt in Rostock an der Straße
nach Warnemünde einen Posten stehen, der sich mit der 30

Belagerungsarmee telephonisch in Verbindung setzen kann,
wenn es nötig werden sollte. Und sobald dieser Posten
meldet, daß ein Überfallauto unterwegs ist, drehen sie uns
die Hälse um. Dann hilft auch kein Polizeipräsidium
5 mehr."

Rudi Struve schaute plötzlich zur Tür und sagte:
„Jetzt wird's ernst!"

Die beiden anderen folgten seinem Blick. Und Papa
Külz verschluckte sich vor Staunen. Denn die Herren
10 Storm und Achtel standen mitten im Lokal! Hinter ihnen
drängten einige Männer durch die Tür, die auch zu der
Bande zu gehören schienen.

„Das hätte ich nicht für möglich gehalten!" erklärte Herr
Struve. „Einen offenen Überfall?" Er bückte sich und
15 holte eine leere Weinflasche unter dem Tisch hervor.

„Haben Sie so ein Ding übrig?" fragte Papa Külz.
Er strahlte übers ganze Gesicht.

Der junge Mann hielt ihm eine Flasche hin. „Hier!"
flüsterte er.

20 „Mein Stock wäre mir lieber." Külz schien sehr an
diesem vergessenen Stock zu hängen.

Irene Trübner sagte entschlossen: „Geben Sie mir
auch so eine Handgranate!"

„Unsinn!" erklärte Külz. „Wenn es hier losgeht,
25 setzen Sie sich rasch unter den Tisch und halten sich die
Ohren zu!"

„Ich denke ja gar nicht daran!"

„Mir zuliebe," bat Struve.

Storm und Achtel hatten an einem Tisch Platz ge=
30 nommen und blickten sich suchend in dem Lokal um. Als

der kleine Herr Storm seinen alten Freund Külz entdeckt
hatte, grüßte er und lächelte hocherfreut.

Der alte Fleischermeister bekam einen feuerroten Kopf.
„So eine Frechheit war doch noch nicht da!" erklärte er.
„Ich werde ihm die Weinflasche um die Ohren schlagen, 5
daß ihm Hören und Sehen vergeht."

Im nächsten Augenblick erlosch in dem Tanzlokal das
Licht! Das von mindestens hundertundfünfzig Personen
erfüllte Lokal versank in schwarze Nacht.

Die Kapelle hörte auf zu spielen. Die Tanzpaare auf 10
dem Parkett und die Gäste an den Tischen lachten laut.
Gläser fielen um. In manchen Ecken ging es zärtlich zu.
Man konnte, wenn man gute Ohren hatte, Küsse hören.

Die meisten hielten das Ganze für einen aparten Einfall
der Direktion. Doch dann schrie jemand: „Hilfe, Hilfe!" 15
Es war eine Frau.

Was sollte das bedeuten? War das noch Spaß? Sie
spürten alle: das war kein Spaß, und nie war es einer
gewesen.

Nun schrien zahllose Stimmen durcheinander. Tische 20
und Stühle fielen krachend um. Die Kellner fluchten wie
die Kutscher. Sie hatten Angst, ihre Gäste könnten fort=
gehen, ohne zu bezahlen. Ein Spiegel wurde zerbrochen.
Oder war es eine Glastür? Oder ein Fenster? Weinen,
Geschrei und hysterisches Gelächter vermengten sich. 25

„Licht!" brüllten die Leute. „Licht, Licht!"

Die Schreie nach Licht und die Hilferufe wurden immer
wilder. Die Hölle war los.

Aber eine Hölle, in der die Teufel und die armen Sünder
nichts sehen konnten! 30

Und dann, nach einer Ewigkeit, wurde es wieder hell.

Wie lange diese Ewigkeit gedauert hatte, — ob fünf oder zehn Minuten, — das hätte niemand zu sagen gewußt. Es fragte auch keiner. Sondern alle starrten erschrocken
5 um sich. Schlimmer hätte kein Erdbeben sein können.

Ein Kronleuchter, zahlreiche Wandlampen, ein Fenster, eine Glastür und ein großer Spiegel waren zerbrochen. Wo man hintrat, war Glas.

Frauen suchten ihre Männer. Liebhaber suchten ihre
10 Freundinnen. Kellner suchten ihre Gäste. Der erste Geiger lag bewußtlos vor dem Podium.

In seiner Ecke stand Fleischermeister Külz aus Berlin, hochaufgerichtet, ein Gott der Rache, und hielt ein einsames Stuhlbein in der mächtigen Faust. „Wer will
15 ins Krankenhaus?" rief er und blickte wild um sich. „Ich mach's gratis!"

Es meldete sich niemand.

Fräulein Trübner saß in ihrer Ecke wie vom Donner gerührt, hatte die Augen weit aufgerissen und hielt ihre
20 Handtasche fest an die Brust gepreßt.

Papa Külz nickte dem jungen Mädchen sieghaft zu und sagte: „Sie sind weg, mein liebes Kind."

„Wer ist weg?" fragte sie.

„Die Verbrecher," erklärte er stolz. „Außer den beiden
25 Kerlen hier, die ich erlegt habe."

„Der eine ist aber ein Kellner," wandte sie ein.

Er betrachtete den Mann. „Das ist mir aber peinlich."

Der andere Mann, der am Boden lag, erklärte heiser: „Wie kommen Sie dazu, mich zu erwürgen?"
30 „Sie sind auch kein Räuber?" fragte Külz erschrocken.

In seiner Ecke stand Fleischermeister Külz, ein Gott der Rache.

„Ein Räuber? Sind Sie verrückt?"

„Es tut mir schrecklich leid," stammelte der Fleischer=
meister und verbeugte sich. „Gestatten Sie! Külz!"

„Ehmer," sagte der andere. „Sehr angenehm!" Dann
5 stand er auf und verschwand.

„Na, da hab' ich also doch recht gehabt," brummte Külz.
„Die Verbrecher sind weg!"

Irene Trübner lächelte. Plötzlich starrte sie auf ihre
Handtasche. Der Reißverschluß war offen. Sie blickte
10 hinein, hob den Kopf und flüsterte leichenblaß: „Die
Miniatur ist weg!"

Oskar Külz fiel das Stuhlbein aus der Hand. Er
selber sank in einen Stuhl. Dann sprang er wieder auf,
sah um sich und meinte: „Unser junger Freund ist auch
15 weg!"

„Wer?" fragte sie.

„Rudi Struve."

„Er auch?" Irene Trübner schüttelte den Kopf und
blickte verständnislos vor sich hin. „Er auch?"

20 Als die beiden Wachtmeister von der Polizei eintrafen,
wurden sie von den Gästen umringt, deren Kleider und
Anzüge gelitten hatten. Man forderte Schadenersatz.

„Das geht uns nichts an," erklärten die Schutzleute.
„Das müssen Sie dem Wirt melden."

25 Etwas später erschien ein großer alter Mann vor den
Wachtmeistern. Er führte eine bildhübsche junge Dame,
die sich nicht besonders wohl zu fühlen schien. Der Mann
sagte: „Wir müssen Sie dringend sprechen. Gestatten
Sie, Külz!"

„Wenden Sie sich an den Wirt," antwortete der eine Wachtmeister.

Herr Külz lachte bitter. „Wenn der Wirt sechsmal= hunderttausend dänische Kronen übrig hat, können wir's ja versuchen!"   5

„Wieso sechshunderttausend Kronen?" fragte der andere Schutzmann. „Ist denn etwas gestohlen worden?"

„Gewiß," sagte Külz. „Dachten Sie, hier geht das elektrische Licht zum bloßen Vergnügen aus? Der Dame ist eine Miniatur gestohlen worden. Von ... Von ..."   10

„Von Holbein!" ergänzte Irene Trübner.

„Vornamen?" fragte der erste Wachtmeister.

„Hans," meinte die junge Dame.

„Aha!" rief der andere Wachtmeister. „Das ist wenig= stens etwas! Hans Holbein heißt er!"   15

„Von wem reden Sie denn?" fragte Külz.

„Na, von dem Dieb, dem Hans Holbein!"

„Menschenskind!" rief Külz. „Holbein ist doch der Maler! Der Dieb ist jemand anders. Der Dieb, das sind ungefähr zwei Dutzend Diebe! Seit Kopenhagen   20 sind sie hinter uns her. Auf der Fähre haben sie mir die Kopie der Miniatur gestohlen. Das war eine glän= zende Idee von Fräulein Trübner. Vorhin haben sie mir aber die Kopie wieder zurückgebracht. Sie lag plötzlich auf dem Tisch. Mit einem Brief. Und dann wurde es 25 finster. Als es wieder hell wurde, war aus Fräulein Trübners Handtasche die echte Miniatur verschwunden! Die Miniatur war weg. Die Diebe waren weg. Und ein guter Freund von uns war auch weg. Wahrscheinlich haben sie ihn mitgenommen. Schade. Es war ein   30

sehr netter junger Mann. Aus Berlin. Rudi Struve
heißt er."

Fräulein Trübner sagte: „Hoffentlich ist ihm nichts
Ernstliches zugestoßen!" Sie schwieg eine Weile. Dann
5 raffte sie sich auf. „Ich muß sofort nach Brüssel tele=
phonieren. Mein Chef ist in Brüssel. Ich muß ihm
den Diebstahl mitteilen."

Die zwei Wachtmeister blieben lange Zeit stumm.

„Reden Sie nicht so viel," bat Külz. „Immer hübsch
10 einer nach dem andern!"

„Wollen Sie uns zum Revier begleiten?" sagte der
eine Polizist. „Weit kann die Bande noch nicht sein.
Wir müssen sofort die umliegenden Reviere benachrichtigen.
Und das Rostocker Präsidium."

15 Der andere Wachtmeister öffnete die Tür. „Darf ich
bitten?"

Da kam ein Kellner gerannt.

„Aha," brummte Külz. „Wir haben noch nicht ge=
zahlt."

20 Irene Trübner holte eine Banknote aus der Handtasche
und gab dem Kellner den Geldschein. „Es stimmt," fügte
sie hinzu.

Der Kellner verbeugte sich tief. „Es war nicht des=
wegen," erklärte er. „Sie haben etwas auf dem Tisch
25 liegen lassen." Er hielt ein Päckchen und einen Brief in
der Hand.

„Die falsche Miniatur!" rief Külz. „Und der Brief,
in dem mich die Kerle so beschimpft haben. Geben Sie
das Zeug her!" Er steckte beides ein und erklärte:
30 „Nächstens vergesse ich noch den Kopf!"

Das elfte Kapitel

Idiomatische Ausdrücke

Genau genommen. To be exact.

Brüssel meldete sich. Brussels was calling.

Er hatte ihn aufmerksam gemacht auf . . . He had called his attention to . . .

Er stellte Zwischenfragen. He interrupted him with questions.

Um das Geld ist's ihm nicht zu tun. He doesn't care about the money.

Er hat noch einige Fragen zu stellen. He has a few more questions to ask.

Er fehlt mir geradezu. I actually miss him.

auf alle Fälle, at all events.

Ich weiß nicht recht. I'm not sure.

Hat noch jemand eine Frage? Has any one else a question?

in einem fort, constantly, continually

Macht mich nicht verrückt. Don't drive me mad.

bis ins letzte, to the very last detail.

Keiner will die Miniatur haben. Each one claims he hasn't the miniature.

Nichts zu finden. Nothing to be found.

Vater Lieblichs Grogkeller

Die sechs Autotaxen sausten wieder über die nächtliche Landstraße. Sie fuhren nach Rostock zurück.

Im letzten Wagen saß der weißbärtige Herr. Er hatte die dunkle Brille abgenommen.

Professor Horn blickte angespannt durch das kleine 5 Fenster in der Wagenrückwand. Genau genommen blickte er nicht durch das Fenster, sondern durch das Loch, das dadurch entstanden war, daß er das Fenster herausgeschnitten hatte. Er hielt eine Schußwaffe in der Hand

99

und hatte die Absicht, in die Reifen solcher Autos, in denen Polizisten saßen, Löcher hineinzuschießen.

Im ersten der sechs Taxis saßen die Herren Storm, Achtel und Karsten. Und der Mann, der auf der Fahrt
5 nach Warnemünde einem Ringkämpfer ähnlich gesehen hatte. Er hatte sich inzwischen verändert. Nicht zu seinem Vorteil. Auf der niedrigen Stirn hatte er mehrere Beulen. Und die Nase saß ihm schräg im Gesicht und war verschwollen.

10 „Du mußt dir morgen unbedingt einen neuen Hut kaufen," sagte der kleine Herr Storm. „Dein Kopf ist mindestens um zwei Nummern größer geworden."

Fräulein Trübner und Herr Fleischermeister Külz waren auf dem Revier in Warnemünde vernommen worden.
15 Sie hatten ihre Reisepässe vorgelegt und den Namen des jungen Mannes mitgeteilt, der spurlos aus dem Tanz= lokal verschwunden war. Er wohne in Charlottenburg in der Holtzendorffstraße, hatte das Fräulein hinzugefügt.

„Die Bande hat Herrn Struve wahrscheinlich mit=
20 genommen," sagte der Inspektor. „Er ist vielleicht hinter ihnen hergelaufen, um sie aufzuhalten. Und dann hat man ihn überwältigt."

„Schrecklich!" rief Külz. „Der arme Junge! Wer weiß, wie und wo wir ihn wiederfinden. Hoffentlich hat
25 er keine Angehörigen."

Irene Trübner versank in Melancholie. Sie wurde aber unterbrochen. Brüssel meldete sich. Die junge Dame eilte ins Nebenzimmer. Zum Telephon. ‚Der Chef wird staunen,' dachte sie.

Inzwischen beschrieb Herr Oskar Külz Herrn Storm und die übrigen Insassen des Coupés dritter Klasse, in dem er gereist war. Er wies darauf hin, daß Rudi Struve es gewesen sei, der ihn mit Hilfe eines Märchens auf die Gefährlichkeit der Fahrgäste aufmerksam gemacht hätte. 5

Dann berichtete Külz von seinen seltsamen Erlebnissen in Kopenhagen, vom „Vierblättrigen Hufeisen", von der Pension Curtius und von dem weißbärtigen Herrn mit der dunklen Brille. Er erzählte von dem Zusammen= treffen mit Storm im Hotel d'Angleterre und vor dem 10 Antiquitätengeschäft in der Bredgade. Und schließlich versuchte er, die Physiognomien Storms, Achtels, Horns und der übrigen genau zu beschreiben.

Der Inspektor stellte kurze Zwischenfragen. Ein Po= lizist protokollierte die Angaben, die der Zeuge Külz 15 machte.

Als dem Zeugen nichts mehr einfiel, erhob sich der In= spektor. „Ich gebe das Protokoll sofort nach Rostock durch," sagte er. „Von dort aus wird man dann die notwen= digen Schritte einleiten. Ich selber lasse die hiesige Zoll= 20 station und die Bahnpolizei informieren. Sonst fährt die Bande womöglich nach Kopenhagen zurück. Ent= schuldigen Sie!"

„Bitte, bitte!" antwortete der Zeuge. „Nun zeigen Sie, was Sie können! Ich möchte gern einmal sehen, 25 wozu ich soviel Steuern zahle."

An der Tür begegnete der Inspektor Fräulein Trübner. Sie sagte: „Herr Steinhövel setzt zehntausend Mark Belohnung für die Herbeischaffung der Miniatur aus. Und morgen nachmittag trifft er in Berlin ein." 30

„Na, Kindchen?" meinte Külz. „Hat Sie Ihr Chef
hinausgefeuert?"

„Nein. Aber er will die Miniatur wiederhaben! Um
das Geld ist's ihm nicht zu tun. Die Holbein-Miniatur
5 ist mit fünfhunderttausend Mark versichert."

Eine Viertelstunde später brachte der Inspektor seine
zwei Zeugen zum Hotel Beringer zurück und bat sie, sich
am nächsten Morgen gegen sechs Uhr bereitzuhalten. Er
hole sie dann im Wagen ab und begleite sie nach Rostock.
10 Die dortigen Instanzen hätten noch einige Fragen zu
stellen.

Er verabschiedete sich.

„Nun können wir ruhig schlafen," meinte Külz, als
er mit Irene Trübner die Hoteltreppe hinaufstieg. Er
15 reichte ihr die Hand. „Gute Nacht, mein Kind. Morgen
früh fahren wir zum ersten Mal in der Grünen Minna.
Hoffentlich träume ich nicht davon."

„Gute Nacht, Papa Külz," sagte sie müde. „Schlafen
Sie gut!" Dann schloß sie die Zimmertür auf.

20 „Halt!" rief er und faßte in die Tasche. „Wollen Sie
nicht Ihren falschen Holbein wiederhaben?" Er hielt ihr
das Päckchen hin.

„Nein," sagte sie. „Wenn der echte weg ist, brauche ich
auch den falschen nicht. Wert ist er sowieso nicht viel.
25 Wollen Sie ihn zur Erinnerung an Ihr dänisches Abenteuer behalten? Mein Chef hat bestimmt nichts dagegen.
Er sammelt keine Kopien."

„Wie Sie wollen," meinte Külz. „Schönen Dank
auch. Ich werde das Bild in unsrer Ladenstube über das
30 Sofa hängen. Da ist noch für was Kleines Platz." Er

gähnte und nickte ihr zu. „Das war ein Tag! Und wo mag jetzt unser Rudi sein? Er fehlt mir geradezu."

„Gute Nacht, Papa Külz," flüsterte sie und trat schnell in ihr Zimmer.

Lieblichs Grogkeller liegt in einer jener Rostocker Straßen, die zum Hafen hinunterführen.

Da es leider überall Menschen gibt, die daran schuld sind, daß die Polizei nicht abgeschafft werden kann, gibt es auch in jeder Stadt Lokale, in denen sich dunkle Existenzen treffen, um ihre Erfahrungen auszutauschen und sich hierbei dem Alkoholgenuß zu widmen.

Professor Horn traf als Erster bei Vater Lieblich ein und ließ sich sofort in das Hinterzimmer führen, an dessen Tür ein Schild angebracht war. „Kleines Vereinszim= mer" stand auf dem Schild.

Vater Lieblich schien den weißbärtigen Gast zu kennen und war ungeheuer neugierig.

„'Raus!" befahl Professor Horn. „Meine Leute werden gleich kommen. Wir wünschen ungestört zu bleiben."

Vater Lieblich zog sich zurück.

Der Professor nahm Platz.

Nach und nach, in kleinen Gruppen, erschienen die anderen Mitglieder des „Vereins". Sie setzten sich an die im Zimmer verstreuten Tische. Vater Lieblich be= diente persönlich. Sie rauchten und tranken.

„Wir sind alle hier," sagte plötzlich der kleine Herr Storm. „Nur die zwei, die du in Warnemünde zurück= gelassen hast, fehlen."

„Es ist gut." Professor Horn winkte dem Wirt.

Vater Lieblich verließ das Zimmer.

Der Chef sah sich im Zimmer um. „Ich nehme an,
daß die Polizei bereits informiert ist. Wir haben keine
Zeit zu verlieren. Ich fahre rasch ins Hotel Blücher, hole
5 meinen Handkoffer, zahle und sage, ich reise nach Ham=
burg. Dann komme ich wieder hierher und nehme mir
den Bart ab. Ihr andern verschwindet möglichst rasch.
Storm und Achtel können das arrangieren. Hauptsache
ist, daß ihr getrennt reist. Am Dienstag sind alle in
10 Berlin! Ich werde als englischer Tourist einige nord=
deutsche Städte aufsuchen. Das wird im Interesse Hol=
beins des Jüngeren notwendig sein."

Die anderen schmunzelten.

„Vielleicht mache ich auch einen Umweg," erklärte der
15 Chef. „Es kann nötig werden, daß ich von Süden aus
in Berlin ankomme. Man wird ja sehen. Auf alle
Fälle treffen wir uns am Dienstag in Berlin. Geld
habt ihr ja genug bis dahin."

„Ich weiß nicht recht," meinte Storm.

20 „Aber ich weiß es," antwortete Professor Horn. „Hat
noch jemand eine Frage?"

Die anderen schwiegen.

„Gut," sagte er. „Nun gebt mir das Päckchen." Er
erhob sich und blieb abwartend stehen.

25 Niemand rührte sich. Die Männer blickten einander
schweigend an. Jeder wartete, daß der andere ein Päckchen
aus der Tasche ziehen werde. Sie warteten vergeblich.
Professor Horn stampfte mit dem Fuß auf. „Wer hat
die Miniatur?"

30 „Ich hab' sie nicht," sagte Philipp Achtel. „Ich dachte,

„Wer hat die Miniatur?"

Klopfer hätte sie. Er war dem Tisch am nächsten, als das Licht ausging."

„Ich habe sie nicht," erwiderte der Mann, der Klopfer hieß. „Als das Licht ausging, dachte eine Frau, ich sei
5 ihr Mann. Sie hielt mich fest und nannte mich in einem fort ‚Arthur'. Als ich endlich an die Handtasche heran= konnte, war sie leer. Da dachte ich, Pietsch hätte die Miniatur."

Pietsch war der Kerl, der wie ein Ringkämpfer aussah.
10 Er schüttelte den Kopf. „Ich habe sie auch nicht. Ich griff nach der Tasche. Doch ehe ich sie erwischt hatte, schlug mich jemand mit einem harten Gegenstand auf den Kopf, daß ich umfiel. Ich dachte, Kern hätte sie."

„Nein, ich habe sie auch nicht," meinte der.

15 „Macht mich nicht verrückt!" rief der Chef. „Zwölf Leute von uns waren in dem Lokal. Zehn standen draußen. Es war alles bis ins letzte vorbereitet. Und jetzt will keiner die Miniatur haben! Wer hat sie?"

Die Männer blieben stumm.

20 „Wer hat sie?" wiederholte der Chef. Er winkte Storm und Achtel. „Durchsuchen!"

Während Storm und Achtel sämtliche Taschen ihrer Vereinsbrüder umdrehten, prüfte Professor Horn seinen Revolver.

25 Die Herren Storm und Achtel hatten ihre Tätigkeit beendet. Sie blickten ihren Chef verständnislos an und zuckten die Achseln.

„Nichts zu finden," sagte der kleine Storm.

„Nichts," bestätigte Philipp Achtel. Sein Gesicht,
30 mit Ausnahme der Nase, war sehr blaß geworden.

„Die Miniatur ist zweifellos aus der Handtasche ge=
raubt worden!" sagte Storm.   „Aber nicht von uns!"

„Die Polizei wird uns verfolgen," meinte Herr Achtel.
„Aber wir sind leider unschuldig!"

Professor Horn hielt sich an einem seiner Jackett= 5
knöpfe fest.   Oder hatte er Herzschmerzen?   Endlich sagte
er: „Ich fahre ins Hotel Blücher und telephoniere nach
Warnemünde."

„Und wir?" fragte Storm.

„Alle hierbleiben!" knurrte der Chef.   „Nur Karsten 10
kommt mit!"   Er schlug die Tür zu.

Karsten folgte ihm hastig.

Das zwölfte Kapitel

Idiomatische Ausdrücke

Wenn sie ihn nicht mehr hatte?
Suppose she didn't have it
any more?

eine so große Handtasche, such
a large handbag.

Wenn kein Grund vorliegt. If
there is no reason.

wo noch dazu, when besides.

Hier Professor Horn. Professor
Horn speaking.

**Er bleibt dem Mädchen auf der
Spur.** He will shadow the
girl.

auch wenn, even if.

Er fuhr sich durch den Bart. He
ran his hand through his
beard.

Ihm geht's genau wie uns. He's
in the same boat as we are.

Und zwar? What's that?

Mir geht es ähnlich. So do I.

Offen gestanden. To be frank.

Das ist wohl nicht dein Ernst!
You aren't really serious!

Es wird sich zeigen. We shall
see.

daß es sich um Gauner handelte,
that they were thieves.

Er wollte in Ihrer Nähe bleiben.
He wanted to stay near you.

mit einem Male, suddenly; all
at once.

trotz dieser Vorgeschichte, in spite
of what has happened.

Der Schein hat getrogen. Appearances were deceptive.

Er legte den Hörer auf die Gabel.
He hung up.

Commissionar   *Theory*

Ein Kommissar hat eine Theorie

Professor Horn lief wie ein Tiger im Hotelzimmer auf
und ab. *Calm yourself*

Karsten packte den Koffer. „Beruhige dich doch endlich,
Chef!" bat er. „Eine Million haben wir ja schon sicher.
5 Leupold ist seit gestern in Holland. Van Tondern hat
die Bilder übernommen. Die Spur ist verwischt." *erased*

„Ich muß wissen, wie der Holbein verschwunden ist!
Ich muß es wissen!"

108

„Vielleicht iſt er gar nicht verſchwunden,“ meinte
Karſten.   „Wenn dieſes Fräulein Trübner ihn nun gar
nicht mehr in der Handtaſche hatte?“

„Sie hatte ihn natürlich in der Taſche! Als ſie zum
Parkett ging, um zu tanzen, nahm ſie die Taſche mit. 5
Ein ſolches Mädchen nimmt eine ſo große Handtaſche
nicht mit aufs Parkett, wenn kein wichtiger Grund vor=
liegt! Wo noch dazu dieſer Bernhardiner von einem
Fleiſchermeiſter am Tiſch blieb! Ausgeſchloſſen!“

Karſten ſchloß den Handkoffer ab.   „Und wie erklärſt 10
du dir, daß die Taſche, als unſere Leute hineinlangten,
leer war?“

„Wenn ich mir das erklären könnte, wäre ich nicht ſo
wütend!“

Das Telephon klingelte.   Der Profeſſor nahm den 15
Hörer herunter.   „Hier Profeſſor Horn! — Aha! Lebt
ihr noch? Ich dachte ſchon, ihr machtet eine Mondſchein=
fahrt!“ Er ſchwieg und lauſchte den Mitteilungen, die
ihm gemacht wurden.   Plötzlich wurde ſein Geſicht un=
natürlich lang.   Er fragte haſtig und heiſer: „Wißt ihr 20
das beſtimmt?“ Er hörte wieder zu.

Dann ſagte er: „Du kommſt auf dem ſchnellſten Wege
nach Roſtock und bleibſt die nächſten Tage im Grogkeller.
Und gehſt nicht vom Telephon weg! Verſtanden? Leich=
ſenring bleibt dem Mädchen auf der Spur. Was? 25
Jawohl! Auch wenn ſie nach China fahren ſollte!“ Er
hängte ein.

Dann rief er Vater Lieblichs Grogkeller an und ver=
langte Herrn Storm.   „Höre zu!“ befahl er, als Storm
ſich meldete.   „Laßt euch von dem Alten eine zuverläſſige 30

Garage nennen! Leiht euch sofort ein paar Autos! In
fünf Minuten seid ihr an der Universität. Das geht
nicht? Dann in vier Minuten! Warum keine Autos?
Ach so. — Wenn ihr etwas Derartiges auftreiben könnt,
5 ist mir's recht." Er hängte ein, blickte Karsten kopf=
schüttelnd an und rief: „Also, das ist der Gipfel!"

„Was denn?"

„Der junge Mann ist verschwunden!"

„Welcher junge Mann denn?"

10   „Der mit Steinhövels Sekretärin und eurem Herrn
Külz zusammen war!"

„Der ist nicht mehr in Warnemünde?"

„Nein."

„Dann hat er den Holbein gestohlen!"

15   Der Professor fuhr sich durch den Bart, als wollte er
ihn abreißen. „Mir so einen Streich zu spielen. Na
warte, mein Junge!"

„Der war schlauer als wir," bemerkte Karsten.

„Schlauer? Nein. Aber hübscher. Viel hübscher!
20 In wen von euch hätte sie sich denn verlieben sollen?"

„Keine Ahnung," meinte Karsten. „Und wo ist der
Junge jetzt?"

Der Chef zündete eine Zigarette an. „Unterwegs nach
Berlin wahrscheinlich. Er weiß natürlich, daß Stein=
25 hövels Sekretärin sein Verschwinden der Polizei ge=
meldet hat. Nach Kopenhagen kann er also nicht wieder
zurück. Die anderen Grenzstellen sind auch schon in=
formiert."

„Ihm geht's genau wie uns."

30   „Wir müssen sofort aufbrechen. Irgendwo werden

wir ihn schon finden. Und wenn ich die Straßen nach
Berlin mit der Lupe absuchen sollte!"

„Ich möchte einen Vorschlag machen!" erklärte Kar=
sten.

„Und zwar?"

„Wir wollen den Jungen laufen lassen."

„Und den Holbein?"

„Den auch!"

„Bist du verrückt?"

„Nein," behauptete Karsten. „Laß die Polizei den
Holbein finden, und den Dieb dazu! Wozu willst du
deine Finger in eine Mausefalle stecken?"

„Das ist außer Frage!" rief Professor Horn. „Ich
lasse mir nicht von irgendeinem Amateur einen Streich
spielen."

„Vielleicht ist er gar kein Amateur. Vielleicht gehört
er zur Konkurrenz!"

„Das ist mir egal! Ich will den Holbein haben. Erst
läßt man uns eine Kopie stehlen! Dann stiehlt er uns das
Original vor der Nase weg! Das geht zu weit!"

„Bitte sehr."

„Wir verlassen Rostock in wenigen Minuten. Draußen
wird's schon wieder hell. Von Neustrelitz aus telepho=
nieren wir nach Berlin und beschreiben ihn. Graumann
mag uns mit seinen Leuten entgegenkommen. Du erin=
nerst dich doch, wie der Jüngling aussah?"

„Ungefähr."

„Notiere es! Damit Graumann und seine Leute den
Richtigen erwischen."

Da klopfte es an der Tür.

Die beiden zuckten zusammen. Professor Horn griff
in die Tasche, in welcher der Revolver steckte, und rief:
„Wer ist da?"

„Das Zimmermädchen," antwortete es draußen auf
5 dem Korridor.

„Ich brauche Sie nicht!" rief der Chef.

„Es ist etwas für
den Herrn Professor
abgegeben worden,"
10 erklärte die weibliche
Stimme.

Karsten schloß die
Tür auf, nahm einen
Brief in Empfang
15 und schloß die Tür
wieder. Den Brief
gab er dem Pro=
fessor.

Dieser riß den
20 Umschlag auf und
las, was auf dem
Briefbogen   stand.
Schließlich warf er
den Brief auf den
25 Boden, nahm seinen

Schließlich warf er den Brief
auf den Boden.

Kopf in beide Hände und sagte leise: „Das ist zuviel! Da=
von kann man ja verrückt werden. Oh, der Halunke soll
mich kennenlernen!"

Karsten hob den Brief auf und las ihn. Er war in
30 Blockbuchstaben geschrieben und lautete folgendermaßen:

,,SIE SCHREIBEN GERN BRIEFE.   MIR GEHT ES
ÄHNLICH.   AUSZERDEM BIN ICH IHNEN NOCH EINE
ANTWORT SCHULDIG.   ICH HABE MICH TROTZ IHRES
WOHLGEMEINTEN RATES IN GEFAHR BEGEBEN.
DARIN UMGEKOMMEN, MÖCHTE ICH IHNEN MIT- 5
TEILEN, BIN ICH VORLÄUFIG NOCH NICHT.

DER ÜBERFALL AUF DAS TANZLOKAL WAR NICHT
ÜBEL INSZENIERT.   DASZ AUCH ICH FÜR DIE ALTEN
MEISTER SCHWÄRME, KONNTEN SIE NICHT WISSEN.

ICH BIN, OFFEN GESTANDEN, SEHR NEUGIERIG, 10
WER SCHNELLER IST.   OB SIE.   ODER DIE POLIZEI.
ODER ICH.

AUF WIEDERSEHN IN BERLIN!   HOLBEIN DER
JÜNGERE.''

Karsten sagte nach einer Weile: „So ein frecher Hund!" 15
Dann versank er in Schweigen.

„Und den soll ich laufen lassen?" fragte Professor Horn
empört.   „Das ist wohl nicht dein Ernst!"   Er klingelte
dem Zimmermädchen.

Sie kam und hatte rote Backen.   20

Horn trat vor sie hin.   „Wer hat Ihnen den Brief
übergeben?   Ein Bote?"

„Nein," sagte sie.   „Er sah aus wie ein junger Mann
aus gutem Haus.   Erst war er beim Portier und erkundigte sich, in welchem Zimmer der Herr Professor 25
wohnt."

„Er kannte meinen Namen?"

„Nein.   Aber er beschrieb den Herrn Professor.   Der
Portier schickte ihn herauf.   Er gab mir den Brief.   Und
fünf Mark.   Den Brief sollte ich hier abgeben.   Das 30

Geld sollte ich behalten. — Dann ging der junge Mann
wieder hinunter und sprach mit dem Portier. Vor allem
wollte er wissen, ob die Landstraße nach Berlin in gutem
Zustand wäre."

5   Karsten fragte: „Wie sah der Herr aus?"

„Brünett," erklärte das Zimmermädchen. „Graue
Augen. Schlank. Bartlos. Und hübsch." Sie ging
zur Tür, machte einen Knicks und wollte gehen.

„Halt!" rief Professor Horn. „Fuhr der Herr im Taxi
10 weg?"

„Nein," erwiderte sie. „Er hatte einen Privatwagen.
Und weggefahren ist er, glaub' ich, auch noch nicht. Vor
einer Minute saß er jedenfalls noch in seinem Auto drunten
vorm Hotel."

15   Sie machte einen Knicks und ging.

Wenige Stunden später befanden sich Irene Trübner
und Fleischermeister Külz in Rostock und sprachen mit
einem Kriminalkommissar.

„Gibt es etwas Neues, Herr Kommissar?" fragte
20 Herr Külz.

„Noch nicht," meinte der Beamte. „Aber was in der
kurzen Zeit getan werden konnte, wurde getan. Ich habe
die Berliner Polizei ersucht, Herrn Rudolf Struve aus der
Holtzendorffstraße zu verhaften."

25   Irene Trübner senkte rasch den Kopf.

Oskar Külz knurrte. „Das verstehe ich nicht. Eine
Räuberbande stiehlt eine Miniatur, die eine halbe Million
Mark gekostet hat. Und weil ein braver junger Mann
versucht, sie aufzuhalten, nimmt man den auch gleich mit.

Bitte, ſo was kann vorkommen.   Aber daß dann die
Polizei den jungen Mann verhaften will, ſtatt die Räuber=
bande feſtzunehmen, das iſt neu!   Das verſtehe ich nicht,
das muß ich Ihnen ganz offen ſagen!"

„Das verſtehe ich nicht."

Der Kommiſſar hob die Hand.   „Nicht ſo hitzig, lieber   5
Herr Külz! Ich habe meine eigene Theorie. Es wird
ſich zeigen, ob ſie richtig iſt."

„Sie tun dem jungen Mann unrecht!" rief Külz.   „Ich

bin zwar ein ziemlich ungebildeter Mensch, aber wenn ich
jemanden für einen anständigen Kerl halte, dann ist er
das auch!"

„Lieber Herr Külz," erwiderte der Kommissar höflich,
5 „ich muß Ihr Gedächtnis auffrischen. Ich kenne aus dem
Protokoll einen Herrn, der viele Stunden lang in einem
Eisenbahncoupé mit einer Verbrecherbande zusammensaß
und jeden einzelnen dieser Strolche für einen Ehrenmann
hielt."

10   Der alte Fleischermeister mußte husten. Als er endlich
wieder reden konnte, meinte er: „Sie haben recht, so leid
es mir tut. Trotzdem möchte ich schwören, daß Sie sich
irren. Schließlich war es ja Herr Struve, der mich dar=
auf aufmerksam machte, daß es sich um Gauner handelte."

15   „Das tat er doch nur," antwortete der Kommissar,
„damit Fräulein Trübner und Sie ihn für um so an=
ständiger hielten! Außerdem wollte er in Ihrer Nähe
bleiben, um der Bande bei dem Diebstahl zuvorzukommen.
Na, und das ist ihm ja schließlich gelungen."

20   Oskar Külz schüttelte böse den Kopf. „Sie irren sich,
obwohl alles, was Sie sagen, richtig sein könnte."

Der Kommissar meinte geduldig: „Man muß es ab=
warten. Und jetzt möchte ich dem gnädigen Fräulein
einige Fragen vorlegen. Zunächst: wo lernten Sie Herrn
25 Struve kennen?"

„In Kopenhagen."

„Bei gemeinsamen Bekannten?"

„Nein, Herr Kommissar."

„Sondern?"

30   Sie sagte zögernd: „Auf der Straße."

„Könnten Sie den Vorgang etwas ausführlicher be=
schreiben?"

„Ich wollte mir," erzählte sie, „kurz vor der Abreise ein
Paar Schuhe kaufen, die ich am Tage vorher in einem
Schaufenster gesehen hatte. Ich ging durch die Straßen 5
und suchte das Schaufenster. Plötzlich rief jemand meinen
Vornamen. Ich drehte mich um. Es war Herr Struve."

„Woher wußte er Ihren Vornamen?" fragte der Kom=
missar. „Ich denke, Sie kannten einander überhaupt nicht!"

„Herr Struve sagte, ich habe seiner Kusine aus Leipzig 10
so ähnlich gesehen, daß er gedacht habe, sie sei es."

Der Kommissar lächelte ironisch. „Mein gnädiges
Fräulein, was zuviel ist, ist zuviel. Ob Sie Herrn
Struve diese Lüge geglaubt haben, weiß ich nicht. Ich
glaube sie jedenfalls nicht! Unter gar keinen Umständen! 15
Es ist denkbar, daß Sie seiner Kusine ähnlich sehen. Es
ist möglich, daß Sie den gleichen Vornamen wie eine
junge Dame in Leipzig haben. Aber daß sie einander
ähnlich sehen und auch noch genau so heißen, — verzeihen
Sie, das ist etwas stark!" Der Kommissar blickte Herrn 20
Külz spöttisch an. „Was halten Sie davon?"

Papa Külz zuckte die Achseln. „Es klingt ziemlich
komisch. Das muß ich zugeben."

Der Kommissar wandte sich wieder an Irene Trübner.
„Was geschah dann?" 25

„Dann fand ich endlich das Schuhgeschäft. Ich ging
hinein und probierte Schuhe. Mit einem Male war
Herr Struve wieder da. Er nahm sogar das Schuhpaket,
als ich den Laden verließ. Auf der Straße forderte ich ihn
auf, seiner Wege zu gehen." 30

„Und dann?"

„Dann ging er seiner Wege," erwiderte sie.

„Wann trafen Sie ihn wieder?"

„Am nächsten Mittag. Im Schnellzug. Er kam in
5 mein Abteil, setzte sich mir gegenüber und fragte, ob wir
uns wieder vertragen wollten."

„Es ist alles klar," meinte der Kommissar. „Nur eins
verstehe ich nicht. Daß Sie nämlich trotz dieser Vorgeschichte noch immer daran zweifeln, daß dieser Herr Struve
10 mit dem Raub der Miniatur in engster Verbindung
steht!"

Oskar Külz sagte: „Es soll schon einmal vorgekommen
sein, daß der Schein getrogen hat."

Der Kommissar erhob sich. „Ich möchte Sie bitten,
15 mit dem nächsten Zug nach Berlin zu fahren und sich dem
dortigen Polizeipräsidium zur Verfügung zu stellen."

„Am Alex?" fragte Külz.

„Ganz recht. Am Alexanderplatz. Der Polizei und
der von Herrn Steinhövel ausgesetzten hohen Belohnung
20 wird es sicher bald gelingen, die Miniatur und deren
Dieb zu erwischen."

Er brachte die beiden zur Tür. Gerade als er sie öffnen
wollte, klingelte das Telephon. Er ging rasch zum Schreibtisch, nahm den Hörer ab und meldete sich. Nach wenigen
25 Sekunden des Zuhörens meinte er: „Danke schön, Herr
Kollege!" und legte den Hörer auf die Gabel zurück.

Irene Trübner und Herr Külz warteten an der Tür.
Der Kommissar sagte: „Ich erfahre soeben, daß Herr
Rudolf Struve in seiner Berliner Wohnung in der Holtzen-
30 dorffstraße verhaftet worden ist. Ich empfehle mich."

Das dreizehnte Kapitel

Idiomatische Ausdrücke

Es lag anders. That was not the case.

Etliche Fragen gingen ihnen nicht aus dem Kopf. Some questions were going through their heads.

Er gab Gas. He stepped on the gas.

Er hat ihn gegen einen anderen Wagen umgetauscht. He exchanged it for another car.

Er sitzt in der Falle. He's caught.

Sehr geehrter Herr Kommissar. My dear inspector.

von Herzen gern, with the greatest of pleasure.

auf eigne Faust, on your own initiative.

Ich melde ein Gespräch an. I'll put through a call.

Ich lasse mir bestätigen. I'll get confirmation.

Irgend jemand wird sich doch finden lassen. Surely some one can be found.

Nicht möglich. You don't say so.

Ehe ich mich bemerkbar machen konnte. Before I could attract her attention.

warum Sie darauf Wert legen, why you attach so much importance to the fact.

Herrn Struves sonderbare Vernehmung

Ein mit ungefähr zwei Dutzend Männern beladener Autobus fuhr nun schon seit Stunden über mecklen=burgische Landstraßen. Erst war er südwestlich gefahren. Dann war er plötzlich nach Osten abgebogen und hatte, nach langer Reise, Neustrelitz passiert.

Die Fahrgäste sahen seltsam aus. Sie trugen falsche Bärte im Gesicht. Auf den Köpfen hatten sie papierne Mützen und Turbane. Und in den Händen hielten sie Luft=ballons. Der Mann neben dem Chauffeur blies auf einer

5

blechernen Kindertrompete. Auf den Wänden des Wagens
stand mit weißer Kreide, daß es sich um den „Rostocker
Skatklub 1896" handle. Die Insassen schwenkten ihre
Ballons, sangen Wanderlieder und lachten ausgelassen.

5 Nun, solche Vereinsausflüge sind ja nichts Außerge-
wöhnliches.

Auffällig war allenfalls, daß der Lärm und die Heiterkeit jedesmal, wenn die letzten Häuser eines Dorfes
verschwunden waren, plötzlich aufhörten.

10 Wollten sie den Frieden der Wälder und Wiesen nicht
stören?

Es lag anders. Den Fahrgästen machte es nicht das
mindeste Vergnügen, vergnügt zu sein!

Hinter dem Chauffeur, auch einem Vereinsmitglied,
15 saß Herr Professor Horn. Er hatte keinen Bart mehr,
war glattrasiert, blickte oft auf eine Landkarte, die auf
seinen Knien lag, und orientierte sich. Mit einem Male
rief er: „Achtung, wir kommen in ein Dorf! Ich möchte
bitten, daß ihr diesmal lustiger seid! In Neustrelitz habt
20 ihr euch benommen, als ob ihr von einer Beerdigung
kämt."

Das Dorf war erreicht. Die Einwohner blieben neugierig stehen. Die Kinder liefen neben dem Autobus her
und wollten Luftballons erwischen.

25 Da stoppte der Chauffeur plötzlich.

„Was gibt's?" fragte der Chef.

„Unser junger Mann tankt!"

Die Insassen waren plötzlich still geworden.

„Wollt ihr Kerle auf der Stelle lustig sein?" brummte
30 Professor Horn drohend.

Die Insassen schwenkten ihre Ballons, sangen Wanderlieder
und lachten ausgelassen.

Die andern wurden sofort wieder laut und fidel. Um den haltenden Autobus versammelten sich Knechte, Mägde und Schulkinder.

„Chef!" sagte der kleine Herr Storm. „Warum sitzt der
5 Bursche nicht im Auto?"

„Paulig soll nachsehen, was los ist!" befahl Horn.

Der Chauffeur kletterte von dem Autobus herunter und begab sich zu der Tankstelle, um sich vorsichtig zu er=
kundigen.

10 Die anderen waren nervös, und während sie mit der dörflichen Bevölkerung scherzten, gingen ihnen etliche Fragen nicht aus dem Kopf. Wo war der junge Mann, den sie verfolgten? Hatte er eine Panne? Warum kehrte er, wenn er ausgestiegen war, nicht zurück? Was
15 zum Teufel sollte der Zwischenfall bedeuten?

Endlich kam Paulig, der Chauffeur, zurück. Er kletterte eilig auf seinen Platz, gab Gas und fuhr drauflos. Währenddem erklärte er hastig: „Der Wagen war ge=
liehen. Hier hat ihn der junge Mann gegen einen anderen
20 Wagen umgetauscht. In Gransee wechselt er noch einmal. Das ist auf dieser Strecke mit Leihautos so üblich."

„Und in Berlin?" fragte Professor Horn.

„In Berlin muß er das Granseer Auto bei Kienast ab=
liefern," erklärte der Chauffeur. „Das ist eine Garage
25 am Stettiner Bahnhof."

Professor Horn lächelte befriedigt. „Ausgezeichnet! In Gransee halten wir eine Minute. Ich telephoniere noch einmal an Graumann. Er soll ein paar Leute vor der Berliner Garage postieren. Unser junger Freund sitzt in
30 der Falle."

Im Berliner Polizeipräsidium wurde inzwischen Herr Rudolf Struve, wohnhaft in Charlottenburg, Holtzen= dorffstraße 7, von einem Kommissar vernommen.

Struve war ein kleiner Herr mit lebhaften Bewegungen und blondem Haar. Er sah sich amüsiert im Zimmer um.

Der Kommissar hielt einen Bleistift in der Hand, klopfte damit häufig an den Schreibtisch und lächelte.

„Nun, Herr Struve," sagte er, „Sie sehen hoffentlich ein, daß Ihr Plan mißlungen ist. Erleichtern Sie Ihr Gewissen! Geständnisse verringern unsere Arbeit und Ihre Strafe!" Dann lehnte er sich zurück, als sitze er im Theater und warte auf den Wendepunkt des Dramas.

Herr Struve machte ein dummes Gesicht. Seit man ihn am frühen Morgen aus dem Bett geholt hatte, war so vieles geschehen, was er nicht verstanden hatte, daß er sich eigentlich schon gar nicht mehr wunderte. Andrer= seits war er natürlich neugierig zu wissen, was man von ihm wollte. Er ergriff also das Wort. „Sehr geehrter Herr Kommissar, ich wäre Ihnen sehr dankbar, wenn Sie sich etwas präziser ausdrückten. Schauen Sie, ich will Ihnen wirklich von Herzen gern erzählen, was Sie von mir zu erfahren wünschen. Wenn ich nur erst wüßte, worum sich's handelt!"

Der Kommissar klopfte mit dem Bleistift an den Schreib= tisch. „An der nötigen Präzision soll es gewiß nicht fehlen, Herr Struve."

„Das freut mich."

„In wessen Auftrag waren Sie in Kopenhagen?"

Herr Struve sah den Kommissar erstaunt an.

„Oder haben Sie auf eigne Faust gehandelt? Das wäre natürlich auch möglich. Entschuldigen Sie, daß ich diese Eventualität erst an zweiter Stelle erwähne."

„O bitte sehr," entgegnete Struve. „Sie glauben also,
5 ich sei in Kopenhagen gewesen?"

„Ganz recht. Ich zweifle nicht daran."

„Leider ein Irrtum, Herr Kommissar."

„Sie waren also gestern nicht in Kopenhagen?"

„Erraten! Ich war gestern nicht in Kopenhagen. Ich
10 war vorgestern nicht in Kopenhagen. Und ich war, um es kurz zu machen, noch nie in meinem Leben dort!"

„Sie waren also gestern zu Hause?"

„Nein," sagte Herr Struve. „Ich war weder in Kopen=
hagen noch zu Hause."

15   „Schade," meinte der Kommissar. „Wenn Sie gestern zu Hause gewesen wären, könnte ich Sie jetzt dorthin zurückschicken. Wo waren Sie gestern?"

„In Bautzen."

„Wo?"

20   „In Bautzen in Sachsen."

„Darf ich Sie bitten, mir den Namen des Hotels zu nennen, in dem Sie übernachtet haben? Ich melde ein Gespräch mit Bautzen an. Ich lasse mir bestätigen, daß Sie dort waren. Und Sie sind frei."

25   Struve schwieg.

„Oder sollten Sie vergessen haben, wie das Hotel heißt?" fragte der Kommissar spöttisch.

„Nein. Aber ich habe in Bautzen gar nicht übernachtet. Sondern ich bin mitten in der Nacht wieder abgereist.
30 Ich glaubte nämlich, in meiner Berliner Wohnung aus=

schlafen zu können. Wenn ich gewußt hätte, daß man mich schon nach einer Stunde herausklingeln und zu Ihnen bringen würde, wäre ich allerdings in Bautzen geblieben."

„Wie heißen Ihre Bautzener Bekannten oder Geschäfts= freunde?" erkundigte sich der Beamte. „Irgend jemand wird sich doch finden lassen, der Ihr Alibi nachweist!"

Herr Struve schwieg.

„Teufel nochmal!" rief der Kommissar. „Sie werden ja doch wohl nicht nur nach Bautzen gefahren sein, um dort nicht zu übernachten!"

„Nein. Ich fuhr nach Bautzen, um jemanden zu sprechen."

„Wie heißt die Person?"

„Es handelt sich um keine Person, sondern um eine Dame!" Er fuhr sich durch die blonden Haare. „Bautzen besitzt nämlich ein Stadttheater. Und eine Schauspielerin an diesem Theater stand mir einst nahe. Damals war sie noch nicht in Bautzen. Sondern erst seit einer Saison. Ich fuhr hin, um sie zu sprechen. Ich stellte mich nach der Vorstellung an den Bühnenausgang und wartete auf sie. Sie kam auch heraus."

„Nicht möglich," sagte der Kommissar.

„Aber ehe ich mich bemerkbar machen konnte, gab ihr bereits ein anderer Mann die Hand. Ich wollte nicht stören. Die beiden gingen Arm in Arm fort. Und ich begab mich auf den Bahnhof."

„Sie sind wirklich zu bedauern," erklärte der Kom= missar. Er dachte nach und fragte dann: „Aber vor= gestern waren Sie in Berlin?"

Struve sagte erleichtert: „Vorgestern? Ja!"

„Ausgezeichnet! Wie ist Ihre Telephonnummer? Wir wollen Ihr Dienstmädchen anrufen."

„Tut mir leid. Ich habe kein Dienstmädchen. Meine Wohnung ist so klein . . ."

5 Der Kommissar wurde ungeduldig. „Wo wohnt Ihre Aufwartefrau? Ich schicke einen Beamten hin. Oder haben Sie auch keine Aufwartefrau, Herr Struve?"

„Doch! Selbstverständlich! Aber meine Aufwarte= frau kommt nur zweimal in der Woche. Und vorgestern
10 war sie nicht in meiner Wohnung."

„Lieber Herr Struve! Ich frage Sie in aller Ruhe: bei wem wünschen Sie, daß ich mich erkundigen soll?"

„Ich wüßte im Augenblick nicht, wen ich vorschlagen sollte. Ich war in den letzten Tagen immer zu Hause."
15 „Und immer allein?"

„Eben, eben," sagte Struve. „Ich bin nämlich Musiker und habe eine Symphonie komponiert."

Der Kommissar erhob sich und fragte: „Herr Struve, wo haben Sie die Miniatur?"
20 „Was denn für eine Miniatur?" fragte der andere überrascht.

„Haben Sie noch nie etwas von Heinrich VIII. ge= hört?"

„Doch, doch. Aber was hat denn das mit Bautzen zu
25 tun, Herr Kommissar?"

„Und von Ann Boleyn?"

„Natürlich!"

Der Kommissar beugte sich vor. „Und von Holbein dem Jüngeren?"
30 „Gewiß, auch von dem," gab Struve zu.

„Aber die Miniatur, die Holbein von Ann Boleyn
malte und die Heinrich VIII. zum Geschenk erhielt, —
die kennen Sie nicht?"

„Nein, die kenne ich wirklich nicht. Ich bin ja schließlich
kein Kunsthistoriker, mein Herr! Ich bin Musiker!"   5

„Freilich!"

„Ich habe den Eindruck, daß es Sie überhaupt nicht
interessiert, daß ich in Bautzen war!" Struve war ehrlich
gekränkt. „Auf der anderen Seite verstehe ich nicht, was
die Miniatur einer geköpften Engländerin mit Kopen=   10
hagen zu tun hat. Und warum Sie darauf Wert legen,
daß ich nicht in Bautzen, sondern in Kopenhagen war.
Seien Sie doch so freundlich und erklären Sie mir das!"

„Nein," sagte der Kommissar. „Ich habe vorläufig
genug davon, mich mit Ihnen zu unterhalten!" Er   15
drückte auf eine Klingel. Ein Polizeibeamter erschien.

„Führen Sie Herrn Struve wieder ab!" befahl der
Kommissar und trat ans Fenster.

Das vierzehnte Kapitel

Idiomatische Ausdrücke

Er gab ihnen recht. He agreed with them; he took their part.

Was ist, wenn ... Suppose ...

sein Möglichstes, his utmost.

Er nahm Gas weg. He took his foot off the accelerator; he slowed up.

aus voller Brust, at the top of their voices; with all their might.

Aus dem Plan wurde nichts. Nothing came of the plan.

Er war mit seinem Humor am Ende. He had reached the end of his humor.

Sie fuhr sich über die Augen. She dabbed her eyes.

Donnerwetter noch einmal! Good heavens!

Das unterliegt keinem Zweifel. There's no doubt about it.

Wir sind einem Irrtum zum Opfer gefallen. We have been the victims of a mistaken notion.

Ich muß doch sehr bitten! I beg your pardon!

Ich bitte Sie um Entschuldigung. I offer you an apology.

Es verlangt mich sehr. I desire very much.

Ein Skatklub hat Kummer

Kurz hinter Gransee wurden einige Mitglieder des „Rostocker Skatklubs 1896" rebellisch. Und Storm, der sonst immer auf seiten seines Chefs stand, gab ihnen recht.

„Worauf wartest du eigentlich?" fragte er nervös.

5 „Wie lange sollen wir denn noch Wanderlieder singen? Laß uns endlich den jungen Mann einholen und ihm einige Löcher in seine Reifen schießen. Dann nehmen wir ihm den Holbein ab und lassen ihn selber dort sitzen. Bis man ihn findet, sind wir in Berlin."

10 „Bravo!" rief Philipp Achtel.

Professor Horn war andrer Meinung. „Ihr dürft

nicht vergessen, daß die Polizei alarmiert ist," sagte er.
„Warum sollen wir in der Gegend herumschießen? In
Berlin fällt so etwas viel weniger auf."

„Und was ist," fragte Karsten, „wenn der Kerl sein
Leihauto nun nicht in die Garage am Stettiner Bahnhof 5
fährt? Der Junge ist nicht dumm. Wenn er nun den
Wagen irgendwo stehen läßt? Was machen wir dann?"

Professor Horn studierte eingehend die Landkarte. Nach
einigem Zögern sagte er: „Gut! Wenn wir ihn noch vor
Oranienburg erwischen, soll mir's recht sein. Sonst 10
bleibt's bei Berlin."

Die Skatbrüder wurden mobil. „Paulig, gib Gas!"
schrie einer.

Der Chauffeur tat sein Möglichstes.

„Aber nur in die Reifen schießen!" befahl der Chef. 15
„Nicht in den Herrn selber! Ihr wißt, ich mag das
nicht!"

Der Rostocker Autobus fuhr mit höchster Geschwindig=
keit über die Landstraße. Die Fahrgäste flogen auf ihren
Bänken hin und her und schimpften wie die Waschweiber. 20

Zehn Minuten mochten so vergangen sein. Endlich
entdeckten sie ein Auto, das in einiger Entfernung vor
ihnen herfuhr.

„Ein grauer Opel," meinte Paulig. „Das ist er!
Wenn er nicht Gas gibt, haben wir ihn in fünf Minuten 25
eingeholt!"

Professor Horn kletterte zum Chauffeur vor, setzte sich
neben ihn und zog den Revolver.

Da verschwand der graue Opel hinter einer Biegung!

Der Autobus hatte die Kurve erreicht. Paulig bremste. 30

Dann ging die Jagd weiter. Doch da nahm Paulig von neuem Gas weg.

Kaum fünfzig Meter vor ihnen hielt der graue Opel am Straßenrand. Der junge Mann war ausgestiegen. Er stand neben dem Wagen und unterhielt sich mit jemandem, der sich an ein Fahrrad lehnte.

Beide blickten dem Autobus entgegen. Und der Jemand, — ja das war ein Polizist!

Die Skatbrüder wurden blaß.

"Revolver weg!" rief der Professor heiser. "Singen!"

Der kleine Herr Storm stimmte ein Lied an. Die andern fielen ein. Und während sie an dem Polizisten und an ihrem Freund vorüberbrausten, schwenkten sie die bunten Papiermützen und sangen aus voller Brust.

Der Polizist machte keine Anstalten, den Autobus auf= zuhalten. Er sah lächelnd hinterher und schüttelte den Kopf.

Paulig fuhr jetzt wie der Teufel. Erst hinter der näch= sten Kurve traute er sich, das Tempo zu verlangsamen.

"Ich könnte den Kerl erwürgen!" schrie der kleine Herr Storm. "Erst stiehlt er uns den Holbein vor der Nase weg, und dann macht er sich noch mit einem Polizisten über uns lustig!"

Professor Horn war blaß geworden. "Stopp," rief er. Und als ihn die anderen ansahen, meinte er: "Er muß ja an uns vorbei. Wir wollen auf ihn warten."

"Ist gemacht," brummte Paulig. Der Autobus fuhr langsam. Der Autobus hielt.

"Genug gescherzt!" sagte Professor Horn. "Dieser Lump ist imstande, uns die Polizei auf den Hals zu hetzen! Es hat alles seine Grenzen. Wenn er an uns vorbeikommt, machen wir ihn fertig!"

Sie saßen stumm in ihrem Autobus und warteten auf den grauen Opel.

"Achtung!" rief einer. "Er kommt!"   5

Die Revolver wurden entsichert. Der Chauffeur hielt sich in Bereitschaft. Aber aus dem Plan der Rostocker Skatbrüder wurde nichts!

Denn der graue Opel kam nicht allein des Wegs. Nebenher radelte der Polizist und unterhielt sich mit dem   10 jungen Mann.

Die Gauner steckten ihre Revolver weg und wußten nicht, was sie machen sollten.

Der Chef rief: "Wollt ihr gleich lustig sein, ihr Idioten?"   15

Die Skatbrüder erwachten aus ihrer Lethargie. Sie sangen, schrien und schwenkten ihre Luftballons, als befänden sie sich auf dem Oktoberfest.

Der graue Opel und der Polizist machten halt.

Der junge Mann im grauen Opel meinte: "Das sind   20 ja lustige Menschen! Da könnte man fast neidisch werden, Herr Wachtmeister!" Dann hob er zum Gruß einen Finger an den Hut und fuhr im Schnellzugstempo davon.

Der Polizist trat zu dem Autobus. "Darf ich mal den Führerschein sehen?" fragte er.   25

Paulig, der Chauffeur, fingerte in der Brusttasche herum. Schließlich fand er den Führerschein und reichte ihn dem Polizisten.

Der Polizist prüfte das Dokument gründlich. Endlich gab er's zurück und sagte: "Alles in Ordnung! Aber   30

fahren Sie bitte langsamer!" Dann erkundigte er sich
nach dem Woher und Wohin und machte auf die nächsten
Umleitungen aufmerksam. Er schien viel Zeit zu haben.

Von dem grauen Opel war schon lange nichts mehr zu
5 sehen.

Irene Trübner und Fleischermeister Külz waren vom
Stettiner Bahnhof aus sofort zum Polizeipräsidium ge=
fahren. Nun saßen sie dem Kommissar gegenüber und
erfuhren von ihm, was der verhaftete Rudolf Struve
10 ausgesagt hatte. Der Bericht war ziemlich ausführlich,
und als der Kommissar geendet hatte, schwiegen die beiden
Zeugen.

Endlich sagte der Kommissar: „Ich werde Herrn
Struve vorführen lassen. Wir werden sehen, ob er in
15 Ihrer Gegenwart die Stirn hat, bei seinen Behauptungen
zu bleiben."

Fräulein Trübner erschrak. „Er kommt hierher? Ich
möchte gehen!"

„Ausgeschlossen!" erklärte der Kommissar.
20 Fleischermeister Külz streichelte ihre Hand, so sanft er's
vermochte. „Sie können sich ja hinter meinem Rücken
verstecken," flüsterte er.

Das Telephon klingelte.

Der Kommissar hob den Hörer ab und sagte: „Führen
25 Sie ihn herein!" Dann wandte er sich an seine Gäste und
hob den großen Bleistift wie ein Dirigent. „Herr Struve
wird sofort erscheinen."

Papa Külz machte sich noch breiter, als er war, und
rückte seinen Stuhl vor den der jungen Dame

Die Tür ging auf.

Von einem Polizisten begleitet erschien Herr Rudolf
Struve aus der Holtzendorffstraße. Er war mit seinem

Humor am Ende und machte ein trübes Gesicht. Sollte
er denn schon wieder erzählen, daß er gestern in Bautzen 5
war?

Herr Külz zeigte mit ausgestrecktem Arm auf den
kleinen, dicken Herrn mit den Künstlerhaaren, und dann
lachte er laut und vergnügt.

Er lachte übrigens nicht allein. Sondern Fräulein
Trübner schloß sich seinem Beispiel an. Ihr Lachen klang
freilich nicht ganz so laut und nicht ganz so vergnügt.
Und zum Schluß zog sie sogar ihr Taschentuch aus der
5 Handtasche und fuhr sich über die Augen. Doch auch ihr
war es mit dem Lachen ernst gewesen.

Der Kommissar und der verhaftete Komponist waren
höchst erstaunt.

Herr Struve ergriff als Erster das Wort. „Auf soviel
10 Beifall war ich nicht gefaßt,“ sagte er mürrisch. Und
weil das Lachen nicht aufhörte, stampfte er mit dem Fuß
auf und schrie: „Bin ich denn hier als Clown engagiert,
Herr Kommissar?“

„Entschuldigen Sie!“ rief Külz. „Sie haben recht. Ich
15 benehme mich sehr unhöflich. Ich habe Sie bestimmt nicht
ausgelacht. Aber es ist ja zu komisch!“ Er begann von
neuem zu lachen. Er sah den Kommissar an und meinte:
„Ich kenne den Herrn nämlich gar nicht!“

Der Kommissar beugte sich weit vor und fragte: „Was
20 soll das heißen? Sie kennen Herrn Struve nicht?“

„Nein,“ antwortete Fräulein Trübner. „Wir hatten
noch nicht das Vergnügen.“

„Sind das die Herrschaften, mit denen ich in Kopenhagen gewesen bin?“ erkundigte sich der Komponist ironisch.

25 „Vielleicht war er doch in Bautzen!“ rief Papa Külz und
mußte wieder lachen.

„Die Herrschaften kennen einander tatsächlich nicht?“
fragte der Beamte zweifelnd.

„Nein!“ entgegneten alle drei.

30 „Entschuldigen Sie!“ bat Külz. „Aber heißen Sie wirk-

lich Rudi Struve? Und wohnen Sie faktisch in der
Holtzendorffstraße?"

„Donnerwetter noch einmal!" brüllte der Komponist.
„Erst glaubt man mir nicht, daß ich in Bautzen war, und
will mir suggerieren, ich sei in Kopenhagen gewesen! Und 5
jetzt hat man sogar etwas dagegen, daß ich in Charlotten=
burg wohne und Struve heiße!"

„Herr Struve heißt Struve," erklärte der Kommissar.
„Das unterliegt keinem Zweifel."

„Und in der Holtzendorffstraße wohne ich auch!" rief 10
Struve. „Leider! Sonst wäre ich heute früh nicht aus
dem Bett geholt worden! Die Herren, die so reizend
waren, mich zu wecken, werden das bestätigen können!"

„Selbstverständlich, mein Herr," sagte der Kommissar.
„Wir sind einem Irrtum zum Opfer gefallen. Man hat 15
uns mystifiziert. Es hat sich jemand, der einige Tage
in Kopenhagen war und vergangene Nacht spurlos aus
Warnemünde verschwand, Ihres Namens und Ihrer
Adresse bedient. Wer es war, das werden wir, wie ich
fürchte, so bald nicht erfahren. Ob es ein Bekannter von 20
Ihnen war? Was halten Sie davon?"

„Ich muß doch sehr bitten!" meinte Struve gereizt.
„Ich habe keine Verbrecher in meiner Bekanntschaft!"

„Wenn es kein Bekannter von Ihnen war," überlegte
der Beamte, „dann ist es ein Unbekannter gewesen. Ein 25
Mann, der, bevor er seinen Raubzug antrat, im Berliner
Adreß= oder Telephonbuch geblättert und sich einen Namen
zugelegt hat, unter dem er auftreten und gegebenenfalls
verschwinden konnte."

„Den Kerl bring' ich um!" sagte Herr Struve.   30

„Ich bitte Sie in meinem Namen und im Namen
meines Rostocker Kollegen um Entschuldigung," fuhr der
Kommissar fort. „In spätestens einer halben Stunde sind
Sie frei, Herr Struve. Ich muß nur noch die not-
5 wendigen Formalitäten erledigen. Nur noch dreißig
Minuten Geduld! Und halten Sie sich, wenn ich darum
bitten darf, ebenso wie Fräulein Trübner und Herr Külz,
in den nächsten Tagen zu unserer Verfügung."

„Worauf Sie sich verlassen können," erklärte der Kom-
10 ponist. „Es verlangt mich sehr, den Herrn kennenzu-
lernen, der so frech war, meinen ehrlichen Namen zu miß-
brauchen."

Der Kommissar ging um den Schreibtisch herum und
reichte allen die Hand. „Die Sache kompliziert sich,"
15 meinte er. „Wer hat die Miniatur gestohlen?"

„Ich weiß es nicht," sagte Papa Külz. „Aber ich wette
einen halben Ochsen gegen ein Veilchenbukett, daß es unser
junger Mann nicht war!" Er reichte Irene Trübner den
Arm. „So, und jetzt fahre ich schleunigst heim. Die
20 Familie und die Emilie warten schon!"

Das fünfzehnte Kapitel

Idiomatische Ausdrücke

Er gab sich keinem Zweifel hin.
He had no doubts in his mind.

zum Angriff übergehen, take the
offensive.

Sie taten unbeteiligt. They as-
sumed an air of indifference.

Ihr fiel das Lügen nicht leicht.
It was not easy for her to lie.

Wenn einer eine Reise tut, dann
kann er was erzählen. If one
has been away on a journey,
he has a lot to tell.

Beehren Sie uns bald wieder.
Come again soon.

Ich hielt's nicht mehr aus. I
couldn't stand it any longer.

Da kann man nichts machen.
Nothing to be done about
it.

Ich möchte um meine Entlassung
bitten. I offer you my resignation.

Ich lasse Sie nicht weg. I won't
let you go.

Mir fiel nichts ein. I had no
inspiration.

Ist das dein Ernst? Are you
serious?

Die Ankunft in Berlin

Der junge Mann, der sich in den letzten Tagen Rudi
Struve genannt hatte, ohne so zu heißen, war inzwischen
in seiner Wohnung angekommen. Diese Wohnung war
klein und befand sich im vierten Stock des Hauses Kant=
straße 177. Auf dem Türschild stand: Joachim Seiler. 5
Herr Seiler schloß die Tür von innen ab und ging in
das Zimmer, das am Ende der Diele lag. Er holte ein
Päckchen aus der inneren Rocktasche und legte es sorg=
fältig auf den Tisch. Dann ging er in die Diele zurück,
hängte Hut und Mantel auf und begab sich ins Bade= 10
zimmer, um sich zu waschen.

137

Er war hundemüde. Und das war kein Wunder. Als
er nach der Fahrt durch Mecklenburg und die Mark
Brandenburg sein Leihauto in der Garage von Kienast am
Stettiner Bahnhof ablieferte, war ihm aufgefallen, daß
5 ihn einige verdächtige Gestalten außerordentlich neugierig
musterten. Er war eiligst in ein Taxi gesprungen und
davongefahren.

Trotzdem gab er sich keinem Zweifel hin. Man war
ihm bestimmt gefolgt und wußte also, wo er wohnte!
10 Man wartete wohl nur noch auf den Herrn mit dem
weißen Bart und der dunklen Brille, um zum Angriff
überzugehen.

Nachdem er sich das Haar gekämmt hatte, ging er ins
Arbeitszimmer. Es grenzte an den Raum, in dem, auf
15 einem niedrigen Tisch, das Päckchen lag.

Er öffnete das Fenster, beugte sich hinaus und schaute
auf die Straße hinunter. Erst konnte er niemanden ent=
decken, der ihm besonders mißfallen hätte. Nach längerem
Suchen aber bemerkte er auf der anderen Straßenseite, in
20 der Toreinfahrt neben dem Café Hofmann, zwei Männer,
die zu seinem Fenster emporblickten. Als sie sich von ihm
beobachtet fühlten, senkten sie die Köpfe und taten unbe=
teiligt.

Joachim Seiler pfiff vor sich hin. Dann schloß er das
25 Fenster und sah die Post durch, die ihm seine Aufwartefrau
auf den Schreibtisch gelegt hatte.

Frau Emilie Külz stand im Laden und verkaufte, wie
seit dreißig Jahren so auch heute, Fleisch= und Wurst=
waren.

„Ist der Meister noch nicht zurück?" fragte die Kundin,
die bedient wurde. Frau Külz schüttelte den Kopf.
„Noch nicht. Aber er schickt jeden Tag eine Ansichtskarte.
Ich freue mich, daß mein Oskar sich einmal in der Welt
umschaut. Er mußte sich dringend ausruhen. Natürlich 5
wollte er mich mitnehmen! Aber einer von uns muß ja
im Laden bleiben." Ihr fiel das Lügen nicht leicht.

„Wo ist er denn jetzt, der Gatte?"

„In Warnemünde. Gestern telephonierte er sogar!"
(‚Endlich ein wahres Wort,' dachte Frau Külz.) „Die 10
Reise durch Dänemark war ziemlich anstrengend. Oskar
ist das Reisen nicht gewohnt. Und nun ruht er sich an
der Ostsee noch ein bißchen aus."

„Recht hat er," meinte die Kundin.

Da öffnete sich die Tür der Ladenstube, und Fleischer= 15
meister Oskar Külz erschien! Er hatte eine weiße, frisch=
gestärkte Schürze umgebunden, nickte seiner teuren Gattin
zu und begrüßte die Kundin.

Diese rief: „Ich denke, Sie sind an der See?"

„Gewesen," erwiderte er. „Alles hat ein Ende, nur die 20
Wurst hat zwei!" Zu seiner Frau sagte er: „Laß mich das
machen! Und schau' dir inzwischen an, was ich dir von
meiner Weltreise mitgebracht habe!"

Die Fleischersfrau verschwand in der Ladenstube.

Der heimgekehrte Meister klopfte die Koteletts, wickelte 25
sie ein und unterhielt hierbei die Kundin. „Auf so einer
Reise, Frau Brückner, erlebt man in einer Woche mehr
als sonst im ganzen Jahr."

„Ja, ja," meinte die Kundin. „Wenn einer eine Reise
tut, dann kann er was erzählen."

30

„Nee," sagte Külz. „Das kann er nun wieder nicht! Bevor's nicht in der Zeitung steht, muß er den Schnabel halten."

Er rechnete aus, was zu zahlen war, steckte den Bleistift

Da öffnete sich die Tür der Ladenstube, und Fleischermeister Oskar Külz erschien!

5 hinters rechte Ohr, kassierte, gab Geld zurück und sagte: „Bitte, beehren Sie uns bald wieder!"

Frau Brückner ging. Herr Oskar Külz trat in die Ladenstube.

Seine Frau saß auf dem Ledersofa und blickte ihn etwas böse an.

„Na, nun weine mal nicht," brummte er. „Ich hielt's ganz einfach nicht mehr aus."

„Warum hast du mir kein Wort davon gesagt? Ich 5 und die Kinder, wir sind vor Angst fast gestorben. Uns zu erzählen, du führest nach Bernau!"

„Vielleicht wollte ich wirklich nach Bernau," meinte er nachdenklich. „Das heißt, das ist nur so meine Theorie."

„Theorie?" fragte sie. 10

„Na ja. Theorie ist ein Fremdwort für schlechte Aus= reden. Es klingt besser." Er lachte.

„Du Gauner," sagte sie und lächelte. Das ganze Leben lang war's so gewesen: wenn ihr Oskar lachte, dann mußte sie lächeln. Allerdings, viel zu lachen hatte er nicht 15 gehabt. Und das war wohl ihre Schuld.

Sie sah sich um. „Wo ist denn übrigens das Andenken?"

„Du sitzt drunter."

Sie drehte sich zur Wand und erblickte überm Ledersofa, an einem Nagel hängend, die Miniatur Holbeins des 20 Jüngeren.

„Es ist nicht das echte Bild," sagte er. „Sondern nur eine Kopie. Das echte kostet eine halbe Million und ist verschwunden. Aber das erzähl' ich dir später."

Frau Emilie Külz musterte Ann Boleyn sehr kritisch. 25 „Ein gemaltes Frauenzimmer!" sagte sie. „Noch dazu tief ausgeschnitten!"

„Du verstehst eben nichts von Kunst," sagte er.

„Nein," antwortete sie. „Eine Tafel Schokolade wäre mir lieber gewesen."
30

An Herrn Joachim Seilers Wohnungstür wurde ge=
klopft. Geklingelt. Geklopft. Mit Fäusten geklopft.

„Ich komme ja schon!" rief der junge Mann. Er durch=
schritt die Diele und blickte durch das Guckloch in der
5 Tür. Draußen stand eine Menge entschlossen aussehender
Männer.

„Wer ist da?" fragte er.

„Kriminalpolizei! Aufmachen!"

„Sofort!" antwortete der junge Mann, schloß die Tür
10 auf und öffnete sie einen Spalt breit. „Bitte schön?"

Einer der Beamten zeigte ihm eine metallene Marke.
„Kriminalpolizei! Sie stehen in dem Verdacht, eine
Holbein=Miniatur, die Herr Steinhövel in Kopenhagen
gekauft hat, gestohlen zu haben."

15 Ein andrer der ernsten Männer stellte einen Fuß in die
Wohnung, damit Seiler die Tür nicht zuschlagen konnte.
Und ein dritter sagte dumpf: „Haussuchung!"

„Da kann man nichts machen," meinte der Wohnungs=
inhaber. „Ich habe allerdings keine Ahnung, was Sie
20 von mir wollen. Aber ich will Sie an der Ausübung
Ihrer Pflicht nicht hindern."

„Können Sie auch gar nicht," knurrte einer der vielen
Männer und trat ein.

Die Diele füllte sich mit etwa anderthalb Dutzend
25 Personen. Jemand öffnete kurzerhand die Tür zum
hinteren Zimmer, blickte hinein und schrie plötzlich: „Da
liegt ja das Päckchen!" Er rannte auf den Tisch zu.

Seine Kollegen folgten ihm hastig.

Einen Augenblick lang stand Herr Joachim Seiler allein
30 in der Diele. Eine halbe Sekunde später stürzte er zur

Zimmertür, schlug sie krachend zu und drehte den Schlüssel
zweimal herum!

Dann lief er ins Arbeitszimmer. Zum Telephon.
Hob den Hörer ab, stellte die Verbindung mit dem Über=
fallkommando her und sagte leise: „Hier Kantstraße 177. 5
Vorderhaus, vier Treppen. Jawohl. Kommen Sie
sofort! Es ist sehr dringend. Zwei Dutzend Beamte
dürften nötig sein. Mindestens!" Er hängte ein, ging
in die Diele und setzte seinen Hut auf.

Die Kriminalbeamten, die er eingeschlossen hatte, trom= 10
melten wütend gegen die Tür. „Machen Sie sofort auf!"
wurde gebrüllt. „Unglaublich! Die Polizei einzusperren!
Öffnen Sie! Das werden Sie noch bereuen!"

Der junge Mann erwiderte nichts. Er verließ auf
Zehenspitzen seine Wohnung und schloß von draußen sorg= 15
fältig ab. Dann fuhr er mit dem Lift bis ins Erdgeschoß
und läutete beim Portier.

„Guten Tag, Herr Seiler," sagte der Portier. „Was
ist denn los?"

Der junge Mann drückte dem Portier einen Schlüssel= 20
bund in die Hand. „In wenigen Minuten wird das
Überfallkommando vorfahren. Seien Sie so nett und
geben Sie den Beamten meine Schlüssel, ja? Sie sollen
das hinterste Zimmer beaugenscheinigen. Aber nicht ohne
Schußwaffen!" 25

Stiebel, der Portier, sperrte Mund und Nase auf.

„Und noch eins," bat Herr Seiler. „Achten Sie darauf,
daß man Ihnen die Schlüssel zurückgibt. Ich habe keine
Lust, im Hotel zu übernachten."

Weg war er! 30

Stiebel steckte die Schlüssel ein und wußte nicht, was er von dem Gespräch mit dem Mieter aus dem vierten Stock halten sollte. „Es ist schade," murmelte er endlich. „So jung, und schon so verrückt."

5 Aber er blieb doch vorsichtshalber im Hausflur und harrte der Dinge, die eventuell kommen sollten.

residence grove up

Vor einer Berliner Tiergartenvilla fuhr ein großes elegantes Automobil vor. Der Chauffeur stieg aus und machte den Wagenschlag auf. Ein kleiner alter Herr ließ 10 sich heraushelfen und nickte dem Chauffeur freundlich zu. Dann sagte er: „Ich brauche Sie noch. Warten Sie hier!"

Der Chauffeur salutierte.

Der kleine Herr schritt auf die Villa zu.

15 Ein Diener eilte die Treppen herunter, öffnete das Tor und verbeugte sich.

„Alles in Ordnung?" fragte der Herr.

„Jawohl, Herr Steinhövel," sagte der Diener. „Und Fräulein Trübner ist in der Bibliothek."

20 Herr Steinhövel nickte und stieg langsam die Treppe hinauf. In der Halle nahm ihm der Diener Hut und Mantel ab. Dann ging der kleine alte Herr durch die Halle und öffnete die Tür, die zur Bibliothek führte.

Irene Trübner, die in einem Stuhl saß, sprang auf 25 und begann plötzlich zu weinen, als hätte sie damit seit Tagen gewartet.

„Aber, aber!" sagte Herr Steinhövel erschrocken und blickte zu seiner schlanken Sekretärin empor. „Weinen Sie bitte nicht!"

„Jawohl," konnte sie eben noch sagen.   Dann weinte sie
schon wieder.

Er drückte sie sanft in den Stuhl und setzte sich auf einen
Fußschemel, der daneben stand.   „Wer konnte denn ahnen,

„Weinen Sie bitte nicht!"

daß eine ganze Räuberbande unseren Holbein stehlen 5
wollte?"

Sie nickte und schluchzte weiter.

Herr Steinhövel, der seine Sekretärin bisher nur als

energische junge Dame kannte, wußte gar nicht, was er tun sollte.

„Ich möchte um meine Entlassung bitten," stammelte sie.

5 „Aber was soll ich denn ohne Sie anfangen?" fragte er erschrocken. „Nein, mein Kind, das werden Sie mir doch nicht antun! Ich bin ein alter Mann. Ich habe mich an Sie gewöhnt. Nein, ich lasse Sie nicht weg!"

Sie trocknete sich die Augen. „Nein?"

10 „Unter gar keinen Umständen!" rief er. „Und nun erzählen Sie erst einmal in aller Ruhe, wie die Geschichte vor sich gegangen ist!"

„Vorgestern," sagte sie, „fing es an. Im Hotel d'Angleterre. Ich saß vorm Hotel und trank Kaffee . . ."

15 Joachim Seiler saß im Vorgarten des Café Hofmann in der Kantstraße, trank ein kleines Pilsner und blickte zu dem Haus hinüber, in dem er wohnte.

„Guten Tag, Seiler!" sagte jemand. „Du machst heute so einen somnambulen Eindruck. Was ist denn los?"

20 „Menschenskind, Struve!" rief der junge Mann hocherfreut. „Wir haben uns ja ewig nicht gesehen!"

„Immer diese Übertreibungen!" meinte Rudi Struve. „Am vorigen Freitag haben wir hier noch Schach gespielt." Er setzte sich. „Wo warst du denn inzwischen?"

25 „Ich hatte viel Arbeit," erwiderte Seiler. „Und du? Ist die Symphonie fertig?"

„Nicht ganz," erklärte der Komponist und fuhr sich durch die blonden Haare. „Mir fiel mal wieder nichts ein. Wie gewöhnlich. Und da fuhr ich nach Bautzen."

„Warum gerade nach Bautzen?"

„Wegen einer alten Flamme.   Sie ist dort am Theater. Aber sie hatte gerade keine Zeit."

„Aha!" sagte Seiler.

„Erraten," erwiderte Struve.   „Und heute früh wurde ich von der Kriminalpolizei abgeholt! Was sagst du dazu?"

„Nein! Ist das dein Ernst?"

„Ja. Und was glaubst du, was ich verbrochen habe? Ich war erstens gar nicht in Bautzen, sondern in Kopen= hagen! So fängt's an. Außerdem habe ich gar keine alte Flamme von mir besuchen wollen.   Sondern ich habe das Bild einer englischen Königin gestohlen.   Jawohl!"

„Wenn das alles stimmte," sagte Joachim Seiler, „dann säßest du ja jetzt wohl nicht hier."

Der kleine, dicke Komponist hob drohend den Arm. „Ein Gauner hat sich meinen Namen zugelegt.   Ist das nicht unglaublich?"

„Unglaublich," meinte Seiler und blickte zu seinem Haus hinüber.

„Glücklicherweise," erzählte der erregte Komponist, „wurde ich einem jungen Mädchen und einem alten Mann mit einem buschigen Schnurrbart vorgeführt.   Und die beiden lachten, als sie mich sahen! Das hat mich gerettet!"

„Wie fandest du die junge Dame?" fragte Seiler. „War sie hübsch?"

„Sehr hübsch. Aber was ändert das an der Situation?"

Ehe der andere antworten konnte, hielten auf der anderen Straßenseite zwei große Überfallautos. Viele Polizisten sprangen aus den Wagen und stürzten in ein Haustor hinein.

„Das ist doch das Haus, in dem du wohnst?" fragte Rudi Struve.

„Ganz recht!"

Passanten blieben stehen. Ladenbesitzer traten auf die
5 Straße hinaus. Bewohner der umliegenden Häuser
blickten aus den Fenstern. Der Auflauf wurde von
Minute zu Minute größer.

„Ich scheine heute meinen kriminellen Tag zu haben,"
sagte der Komponist trübselig. „Seit wann wohnen in
10 deinem Hause Verbrecher?"

Der andere schwieg und ließ kein Auge von dem Haustor.

Die Menge, die sich vor dem Hause Kantstraße 177
gesammelt hatte, geriet in Bewegung. Sie machte den
Polizisten Platz, die aus dem Tor herauskamen und etwa
15 zwanzig ernst aussehende Männer eskortierten, die man
paarweise mit Handschellen aneinander befestigt hatte.

Die Gefangenen wurden auf die beiden Überfallautos
geschoben. Die Polizisten kletterten hinterdrein. Die
Autobusse fuhren davon.

20 Und langsam zerstreute sich die Menge.

Das sechzehnte Kapitel

Idiomatische Ausdrücke

Es kommt anders. It turns out differently.

Sie waren mir über. You got the better of me.

Mach' doch schon, daß du fortkommst. Hurry up and get out of here.

Warum machen Sie sich Vorwürfe? Why do you reproach yourself?

auf jeden Fall, in any case.

So oder so. In one way or another.

Was darf's sein? What can I do for you?

Wenn es Ihnen nichts ausmacht. If it's all the same to you.

der sich zu Unrecht Rudi Struve nannte, who posed as Rudi Struve.

Erstens kommt es anders...

Einer der Kellner, der über die Straße gerannt war, um Näheres zu erfahren, kam zurück und wollte ans Büfett, um seine Neuigkeiten zu erzählen. Der Komponist Struve hielt ihn am Ärmel fest. „Was war denn los, Herr Ober?" 5

„Da hat sich eine Einbrecherbande in das Haus 177 geschlichen! Der Portier hat ein Geräusch gehört und die Polizei alarmiert. Und dann wurden sie vom Überfallkommando festgenommen."

„Was wollte denn die Bande in der 177?" fragte Rudi 10 Struve.

„Wenn man das wüßte!" meinte der Ober.

Der Kellner verschwand im Innern des Cafés, kam aber sofort wieder heraus.

149

„Ein Brief für Herrn Seiler. Er ist in diesem Augenblick abgegeben worden."

Seiler riß das Kuvert auf. Der Brief lautete:

„WIR HÄTTEN EINANDER FRÜHER BEGEGNEN
5 SOLLEN. UND NICHT ALS KONKURRENTEN, SONDERN
ALS KOMPAGNONS. VIELLEICHT EIN ANDRES MAL.
DIESMAL WAREN SIE MIR ÜBER. MEINEN RESPEKT."

Der junge Mann steckte den Brief ein und sah sich um.
10 Er suchte einen Herrn mit weißem Bart und dunkler
Brille. Vergebens.

Er lief ins Café hinein. „Fräulein," rief er am Büfett.
„Wer hat den Brief abgegeben?"

„Ein großer älterer Herr."

15 „Mit weißem Bart?"

„Nein. Glattrasiert."

„Natürlich!" rief Seiler.

„Der Herr sah wie ein Gelehrter aus," meinte das
Büfettfräulein.

20 „Den Mann hätten Sie sehen sollen, als er noch einen
Bart umhatte! Da sah er wie eine ganze Universität
aus!" Seiler rannte in den Vorgarten und setzte sich
wieder neben Struve, der auf der Marmortischplatte
komponierte. Er hatte mit einem kleinen Bleistift fünf
25 parallele Linien gezogen.

Seiler blickte mißmutig auf die Straße. Plötzlich
zuckte er wie elektrisiert zusammen und umklammerte
Struves Arm.

„Stör' mich nicht!" knurrte der andere. Er pfiff das

Thema, das er notiert hatte, sanft und leise vor sich hin. Er glich einem Kind auf dem Spielplatz.

„Mensch!" Seiler rüttelte den Tondichter. „Siehst du dort den eleganten Herrn im Taxi?"

„Hinter dem Möbelwagen? Neben der Straßenbahn?" 5

„Ja. Das Taxi kann nicht vorbei. Wir haben Glück. Hör' zu, mein Junge! Wenn du diesen Herrn wohlbehalten im Polizeipräsidium ablieferst, kriegst du von mir einen Kuß auf die Stirn."

„Laß das!" 10

„Tu mir den Gefallen, Rudi!"

„Ich kann doch nicht einen mir völlig fremden Herrn verhaften lassen!"

„Er ist der Anführer einer Diebsbande!"

„Wenn dich das interessiert, dann fang ihn dir ge- 15 fälligst selber!"

„Ich habe keine Zeit," sagte Seiler. „Rudi, los! Ich erzähle dir dann auch, wer sich in Kopenhagen als Herr Struve herumgetrieben hat!"

Der Komponist wurde lebendig. „Der unter meinem 20 Namen gestohlen hat?"

„Eben dieser!" Seiler faltete die Hände. „Nun mach' doch schon, daß du fortkommst! Der Möbelwagen kann jede Sekunde ausweichen! Dann ist der Kerl weg!"

„Woher kennst du den falschen Struve?" 25

Seiler beugte sich vor und flüsterte dem Freund etwas ins Ohr. (Er flüsterte es, damit die Leser noch nicht erfahren, was er sagte.)

„Aha. Und du zeigst mir dann meinen Doppel- gänger?" 30

„Ja gewiß! Aber nun beeile dich! Und merke dir die
Autonummer!"

Struve setzte den Hut auf, winkte einem leerfahrenden
Taxi und begab sich auf die wilde Jagd.

5 Seiler zahlte dem Kellner und ging zur nächsten
Straßenecke, wo Taxen warteten. Er setzte sich in den
ersten Wagen und sagte zum Chauffeur: „Yorckstraße,
Ecke Belle Alliancestraße."

Irene Trübner hatte ihre Erzählung beendet. Sie
10 hatte nichts hinzugefügt und nur wenig verschwiegen.
Nun saß sie stumm und wartete auf ihr Urteil.

„Bravo!" sagte Herr Steinhövel. „Bravo! Sie haben
sich famos benommen. Auf den Einfall, Herrn Külz statt
des Originals die Imitation zu geben, können Sie stolz
15 sein. Und warum machen Sie sich wegen des Warnemünder Überfalls Vorwürfe? Liebes Kind, die Miniatur wäre Ihnen in dem dunklen Lokal auf jeden Fall
geraubt worden! So oder so. Wenn nicht von dem
falschen Struve, dann um so sicherer von der Bande. Der
20 Holbein ist verschwunden. Ich bin trotzdem mit Ihnen
zufrieden."

„Sie sind sehr gütig, Herr Steinhövel."

„Gütig?" fragte der alte zierliche Herr erstaunt. „Ich
bemühe mich, gerecht zu sein. Für einen alten Mann ist
25 das nicht allzu schwer."

Das Telephon läutete.

Herr Steinhövel erhob sich und ging zum Apparat. Er
hob den Hörer ab. Nach kurzer Zeit leuchtete sein faltiges
Gesicht auf. „Tatsächlich?" rief er. „Das ist ja wunder=

bar! Wir kommen!" Er legte den Hörer wieder auf und
wandte ſich um. „Was ſagen Sie dazu? Die Miniatur
befindet ſich auf dem Polizeipräſidium!"

Irene Trübner fragte heiſer: „Und Herr Struve?
Ich meine, der falſche Struve? Der auch?" 5

„Nein. Die Bande!"

„Aber die hat doch den Holbein gar nicht geſtohlen!"

„Vielleicht doch. Bald werden wir mehr wiſſen," ſagte
der alte Sammler und klatſchte in die Hände. „Kommen
Sie, mein Kind!" Er öffnete die Tür zur Halle. 10

Der Diener erſchien.

„Hut und Mantel!" rief Herr Steinhövel.

Kaum war Fleiſchermeiſter Külz auf den Autobus ge=
klettert, der vor ſeinem Hauſe hielt, als ein ſchlanker,
junger Mann das Geſchäft betrat. 15

Frau Emilie Külz kam aus der Ladenſtube heraus.
„Was darf's ſein?"

Der Herr zog höflich den Hut und wollte den Meiſter
ſprechen.

„Wir kaufen nichts," ſagte Frau Külz. 20

Der junge Mann lachte. „Aber ich will Ihnen ja gar
nichts verkaufen! Seien Sie ſo freundlich und rufen Sie
Ihren Gatten. Wir ſind Bekannte." Er lüftete den
Hut zum zweiten Mal und nannte irgendeinen Namen.

„Schade," meinte ſie. „Mein Mann iſt in dieſer 25
Minute aus dem Haus. Kann ich ihm etwas ausrichten?"

Der junge Mann wiegte unſchlüſſig den Kopf. „Schwer
zu machen. Es gibt Dinge, die man am beſten nur dem
erzählt, den ſie angehen. Wird er lange ausbleiben?"

„Wenn ich das wüßte! Er wurde vor fünf Minuten angerufen." Sie zögerte weiterzusprechen.

„Von der Polizei?"

Frau Külz sah den jungen Mann überrascht an.

5 „Ich war bei dem Überfall in Warnemünde dabei. Hat er Ihnen davon erzählt?"

Sie nickte.

„Und nun," fuhr der junge Mann fort, „nun habe ich etwas erfahren, was damit eng zusammenhängt und Ihren 10 Gatten außerordentlich interessieren wird."

„Rufen Sie ihn doch an!" rief Frau Külz. „Er ist im Polizeipräsidium auf dem Alexanderplatz. Das Telephon steht in der Ladenstube." Sie zeigte mit dem Daumen hinter sich.

15 „Ach nein," sagte der junge Mann. „Telephone haben manchmal zu viele Ohren. Es wird das beste sein, ich komme nach Mittag noch einmal vorbei."

Die Fleischersfrau besann sich. „Wissen Sie was? Wenn's Ihnen nichts ausmacht, können Sie ja hier auf 20 meinen Mann warten! Falls es Ihre Zeit erlaubt."

Der junge Mann zog die Uhr und betrachtete nachdenklich deren Zifferblatt. „Ich habe zwar noch allerlei zu erledigen. Aber eine Stunde kann ich schon warten."

„Das ist recht," sagte Frau Külz. Sie öffnete die Tür 25 zur Ladenstube. „Hier sieht's ziemlich bunt aus. Unsre eigentliche Wohnung liegt im ersten Stock."

Der junge Mann setzte sich und fragte, ob jemand Geburtstag habe. „Es riecht nach selbstgebackenem Kuchen!"

Sie lächelte zufrieden. „Es ist wegen Oskar. Ich habe 30 schnell einen Kirschkuchen gebacken. Weil er wieder daheim

ist. Und da kommen nun heute abend unsre sämtlichen
Kinder und Schwiegersöhne und Schwiegertöchter. Und
die bringen ihre Kinder mit! Es wird eine kleine Feier.
Zirka zwanzig Personen."

Er sah sich in der Stube um. „Enorm behaglich
haben Sie's hier!" Sein Blick blieb über dem Ledersofa
haften.

„Das hat er mir aus Kopenhagen mitgebracht," erzählte
sie. „Ich finde das Bild ordinär. So zieht man sich als
anständige Frau nicht an. So teuer sind die Stoffe nicht,
daß man so sparsam damit sein müßte! Echt ist das Bild
auch nicht."

Dann wandte sich der junge Mann mit Interesse den
gerahmten Familienphotographien zu, die Ann Boleyn
umgaben.

Die Fleischersfrau bombardierte ihn mit den Vornamen
der Photographierten.

Da erklang die Ladenglocke.

„Kundschaft," sagte Frau Külz. „Ich muß hinaus.
Hoffentlich langweilen Sie sich nicht!"

Er griff nach einem Blatt, das auf dem Tisch lag. Es
war die Allgemeine Fleischerzeitung. „Ich werde mir die
Zeit schon vertreiben!"

„Tun Sie, als wenn Sie zu Hause wären," schlug sie
vor und verschwand im Laden.

Herr Steinhövel, Irene Trübner und Fleischermeister
Külz wurden von einem Oberwachtmeister in das Zimmer
des Kommissars geleitet. Der Raum war mit Menschen
überfüllt. Fast zwei Dutzend ernst aussehende Männer

standen an den Wänden. Die Männer waren paarweise
gefesselt.

Der Kommissar begrüßte die drei neuen Besucher. Er
war vortrefflicher Laune. „Seien Sie nachsichtig," bat
5 er. „Ich habe Gäste. Aber ich wollte die Herren nicht
abführen lassen, ehe ich sie Ihnen gezeigt habe." Er wandte
sich an Fräulein Trübner und an Herrn Külz. „Die
Welt ist klein. Es sollte mich wundern, wenn Sie keine
Bekannten fänden."

10   Fräulein Trübner hielt sich zurück. Oskar Külz aber
stellte sich breitbeinig vor die Banditen und sah sie sich
genau an. Da war erstens Herr Philipp Achtel mit
der roten Nase. Da war ferner der kleine Herr Storm
mit den abstehenden Ohren.   Da war der unangenehme
15 Mensch aus der Ecke des Eisenbahncoupés, der erklärt
hatte, auf der dänischen Fähre gäbe es eine zweite Zoll=
kontrolle. Da war auch der falsche Zollbeamte selber.
Und noch einige andere Reisegefährten erkannte Herr
Külz wieder. Er drehte sich zum Schreibtisch um und
20 sagte: „Herr Kommissar, die Welt ist wirklich klein! Es
tut mir leid, daß ich die Leute gerade hier wiedersehen muß.
Ich hätte sie lieber im Wald getroffen. Da kann man
sich mehr gehen lassen."

„Aber lieber Freund!" sagte Storm. „Wie reden Sie
25 denn mit uns!"

„Halten Sie den Mund!" brummte der Wachtmeister.
„Abführen!" befahl der Kommissar.

Die Tür öffnete sich. Und die „Rostocker Skatbrüder"
wurden ins Untersuchungsgefängnis gebracht.

30   Der Kommissar öffnete ein Fenster und holte tief Atem.

Külz stellte sich breitbeinig vor die Banditen und sah sie sich genau an.

Dann kehrte er zu seinem Schreibtisch zurück und über=
reichte Herrn Steinhövel ein Päckchen. „Ich freue mich,"
sagte er feierlich, „Ihnen so bald die geraubte Miniatur
zurückerstatten zu können. Wer schnell gibt, gibt doppelt."

5 Der alte Sammler nahm das kostbare Päckchen gerührt
in Empfang. „Schönen Dank, Herr Kommissar!" Er
wickelte das Päckchen aus. Es kam ein Holzkästchen zum
Vorschein. „Können Sie uns plausibel machen, wie der
Holbein in die Hände dieser Bande gefallen ist? Wir
10 nahmen doch an, das Päckchen sei von dem jungen Mann
gestohlen worden, der sich zu Unrecht Rudi Struve
nannte."

Der Kommissar zuckte verlegen die Achseln. „Das
Überfallkommando wurde vor etwa anderthalb Stunden
15 in die Kantstraße gerufen. Man fand die Bande in der
bezeichneten Wohnung. Der Wohnungsinhaber hatte die
Leute in einem seiner Zimmer eingeschlossen und ist seitdem
spurlos verschwunden."

„Großartig," behauptete Herr Steinhövel. „Und die=
20 ser patente Wohnungsinhaber ist vermutlich der falsche
Struve? Oder?" Er öffnete das Holzkästchen.

„Sie mögen recht haben," sagte der Kommissar. „Der
Mieter heißt allerdings Joachim Seiler. Ob er der
falsche Struve ist, wissen wir noch nicht. Aber es wird
25 nachgeforscht."

„Ich verstehe es nicht," erklärte Irene Trübner. „Wenn
dieser Herr Seiler ein Dieb war, hätte er doch die Miniatur
aus seiner Wohnung mitnehmen können, nachdem er die
Bande eingesperrt hatte!"

30 „Wenn unser Struve Ihr Seiler ist," meinte Oskar

Külz, „dann wiederhole ich, was ich schon dem Roftocker
Kommiffar gefagt habe: Unfer Struve ift kein Dieb!"

„Und was dann?" fragte der Berliner Kommiffar.

Der alte Sammler hatte mittlerweile eine Lupe aus
der Tafche gezogen und betrachtete die Miniatur, als fei   5
fie eine Kranke und er der Hausarzt.

Der Kommiffar ftand auf. „Nun?" fragte er. „Sind
Sie mit uns zufrieden?"

Herr Steinhövel lehnte fich in dem Stuhl zurück.
„Nicht ganz, Herr Kommiffar! Was Sie mir freund=   10
licherweife ausgehändigt haben, ift leider nicht der echte
Holbein. Sondern die Imitation!"

Das siebzehnte Kapitel

Idiomatische Ausdrücke

Das geht ja mit dem Teufel zu. The devil must have a hand in this.

Ich stehe vor einem Rätsel. It's a complete mystery.

Erlauben Sie. Pardon me.

Was haben Sie denn? What's the matter?

Ihm war dadurch zweierlei gelungen. He had thereby succeeded in two different things.

Er konnte damit rechnen. He could count on the fact; he could safely assume.

Er war längst nicht mehr da. He had been gone a long time.

hat etwas für sich, has something in its favor.

Es ging gemütlicher zu. It was more easy-going.

es dauerte nicht lange, so, before long.

Er hatte das Notwendige angeordnet. He had given the necessary orders.

hinter Schloß und Riegel, under lock and key.

Sie ließen kein Brett auf dem andern. They turned everything upside down.

das zunächst befindliche Schaufenster, the nearest show window.

Die motorisierte Schnitzeljagd

Der Kommissar und seine Besucher saßen minutenlang, ohne ein Wort herauszubringen. Sie starrten einander vollkommen ratlos an und waren vor Schreck gelähmt.

Als Erster fand der Kriminalkommissar die Sprache
5 wieder. „Das ist eine Kopie? Irren Sie sich ganz bestimmt nicht, Herr Steinhövel?"

„Ich irre mich nicht," antwortete der Sammler. „Es gibt, und das ist keine Übertreibung, in ganz Europa niemanden, der sich in diesem Fall so wenig irren könnte
10 wie ich!" Er legte die Holbein=Imitation in das Holz=

160

kästchen zurück und stellte das Kästchen auf den Schreib=
tisch.

Fleischermeister Külz zerrte aufgeregt an seinem
buschigen Schnurrbart. „Das geht ja mit dem Teufel
zu! Da rennen wir samt der Polizei hinter einer Bande 5
von Gaunern her, und die Bande hinter einem jungen
Mann! Und nun hat der junge Mann statt der echten
Miniatur die falsche gestohlen!"

„Ich begreif's nicht," sagte Irene Trübner. „Die
Miniatur wurde doch aus meiner Handtasche geraubt! 10
Als in dem Tanzlokal das Licht wieder brannte, war doch
meine Handtasche leer!"

„Möglicherweise haben Sie sich geirrt," meinte der
Beamte. „Vielleicht hatten Sie vor dem Überfall nicht
das Original, sondern die Imitation in der Hand= 15
tasche?"

„Ausgeschlossen," erwiderte die junge Dame. „Völlig
ausgeschlossen! Die Imitation war ja eben erst von der
Bande wiedergebracht worden. Sie lag noch vor Herrn
Külz auf dem Tisch, als es dunkel wurde!" 20

„Stimmt," bestätigte der Fleischermeister. „Samt
dem unverschämten Brief."

„Ich stehe vor einem Rätsel," erklärte der Kommissar.
„Herr Steinhövel, ist es möglich, daß mehrere Imita=
tionen existieren?" 25

„Nein. Das ist unmöglich."

„Dann," sagte der Kommissar, „gibt es nur eine
Lösung! Wenn nämlich die Miniatur, die wir bis jetzt
für die echte hielten, die Kopie ist, dann muß notwendig
die andere, die Sie bis jetzt für die Imitation ansahen, 30

las Original sein! Liebes Fräulein Trübner, wo befindet sich augenblicklich die zweite Miniatur?"

Die Lippen des jungen Mädchens waren blaß und
zittern. „Ich habe sie Herrn Külz, weil er so nett zu
5 mir war, geschenkt. Ich dachte, Herr Steinhövel hätte
gewiß nichts dagegen."

Herr Steinhövel zeigte auf das Holzkästchen, das auf
dem Schreibtisch stand. „Die wirkliche Kopie wollen wir
Herrn Külz von Herzen gern als Andenken schenken.
10 Aber was haben Sie inzwischen mit der Miniatur gemacht,
Herr Külz, die Ihnen meine Sekretärin gestern geschenkt
hat und die sich nun als das Original herausstellt?"

Der Fleischermeister schlug sich aufs Knie und lachte
laut auf.

15 „Sie hängt in unserer Ladenstube!" rief er vergnügt.
„Über dem alten Ledersofa! Neben den Familienphotos!"

Die anderen atmeten erleichtert auf.

„Wenn meine Emilie erfährt, daß bei uns überm Sofa
eine halbe Million hängt, wird sie verrückt. Wissen Sie,
20 was sie gesagt hat, als sie die Miniatur sah?" Külz
machte eine Pause. Dann fuhr er fort: „Sie hat gesagt,
eine Tafel Schokolade wäre ihr lieber gewesen!"

Die andern lächelten höflich.

„Na," sagte der Kommissar. „Da haben wir ja noch
25 einmal Glück gehabt. Ich hatte schon Angst, Herr Külz
hätte die halbe Million im Zug liegenlassen."

„Erlauben Sie," meinte Külz. „Ein Geschenk von
Fräulein Irene läßt man doch nicht liegen! Das wäre
ja Sünde!"

30 „Lieber Herr Külz," bat der Kommissar, „seien Sie so

freundlich und rufen Sie Ihre Gattin an! Sagen Sie
ihr, wir schickten sogleich ein paar Beamte. Denen soll sie
das kleine Reiseandenken aushändigen! Wir wollen ihr
gern ein paar Tafeln Schokolade mitschicken."

„Gemacht," sagte Külz. Er ging zum Telephon. „Aber
schicken Sie, wenn ich bitten darf, Zivilisten. Sonst denkt
man in der Yorckstraße, die Külze sind Gauner geworden."

„Ganz wie Sie wünschen!"

Der Fleischermeister drehte an der Nummernscheibe und
wartete.

Im Apparat meldete sich eine Stimme.

„Hallo!" rief Külz. „Emilie, bist du's? Jawohl, ich
bin noch auf dem Präsidium. Nun hör' einmal gut zu!
Erschrick aber nicht! Wir wollen nämlich ein paar
Kriminalbeamte herumschicken. Nein, nein. Sie wollen
dich nicht mitnehmen. Sondern die Miniatur. Die
Miniatur! Verstehst du? Wie? Menschenskind, das
kleine Bild, das ich dir von der Reise mitgebracht habe!
Das über dem Sofa hängt! Hast du mich verstanden?
Na also!"

Hierauf hörte man aus dem Apparat eine Weile gar
nichts, dann aber eine Flut von Worten.

Herr Oskar Külz stützte sich plötzlich schwer auf den
Schreibtisch. Dann legte er den Hörer hin, stierte den
Kommissar und die anderen an und fuhr sich über die
Stirn. Er tappte schwerfällig zu seinem Stuhl und sank
in sich zusammen.

„Was haben Sie denn?" fragte Fräulein Trübner
besorgt.

„Meine Miniatur ist auch weg," sagte er leise.

Der Kommissar sprang auf. „Was soll das heißen, Herr Külz?"

„Wenn ich das nur wüßte!" sagte der verstörte Fleischer=meister. „Ein junger Mann war da und hat mich dringend
5 sprechen wollen. Emilie hat ihn in die Ladenstube geführt. Dort könne er auf mich warten, hat sie gesagt. Dann sind Kunden gekommen. Meine Frau mußte ins Geschäft. Und als sie wieder in die Stube kam, war der junge Mann nicht mehr da. Sie hat natürlich geglaubt, es
10 hat ihm zu lange gedauert, und nichts weiter darüber ge=dacht. Und erst jetzt, als ich anrief, hat sie gemerkt, daß die Miniatur gar nicht mehr überm Sofa hängt! Der Kerl hat sie ganz einfach vom Nagel geholt und ist durch die Tür, die zum Hausflur führt, verschwunden."

15 „Wieder dieser junge Mann!" brüllte der Kommissar außer sich und warf den großen Bleistift wütend in den Papierkorb.

Herr Steinhövel lächelte wehmütig. „Ich bin sonst eigentlich ein Freund von tüchtigen jungen Leuten. Aber
20 dieser junge Mann, muß ich gestehen, ist mir doch ein bißchen zu tüchtig."

Der Kommissar hob den Kopf. „Er muß nach dem Warnemünder Überfall gemerkt haben, daß er versehent=lich die Kopie gestohlen hatte. Deswegen ließ er die
25 Miniatur, als er die Bande in seiner Wohnung einschloß, gleich mit dort. Ihm war dadurch zweierlei gelungen. Er war die Konkurrenten los. Und außerdem konnte er damit rechnen, daß wir die Kopie eine Zeitlang für das Original halten würden. So hatte er wieder Vor=
30 sprung! Er fuhr zu Frau Külz und stahl in aller Seelen=

ruhe das Original, das wertlos und unbeachtet an der
Wand hing."

„Und woher konnte dieser ... dieser junge Mann
wissen," fragte Fräulein Trübner, „daß sich die zweite
Miniatur bei Herrn Külz befand? Der junge Mann war 5
doch längst nicht mehr in Warnemünde, als ich Herrn
Külz die vermeintliche Kopie schenkte! Das ist doch alles
sehr unglaubhaft!"

Der Kommissar winkte den Einwand ab. „Er hat's
ganz einfach versucht! Irgendwo mußte die zweite 10
Miniatur ja schließlich sein. Außerdem dürfen Sie das
eine nicht vergessen: Gauner haben oft mehr Glück als
anständige Menschen."

„Was meine Sekretärin eingewendet hat," erklärte Herr
Steinhövel, „hat fraglos etwas für sich. Mir scheint, 15
daß wir noch nicht alles wissen."

Länger als eine Stunde fuhr der Komponist Struve
schon hinter dem alten glattrasierten Herrn her! Die
beiden Chauffeure hatten sehr bald begriffen, daß es sich
um keine Spazierfahrt handelte. Vor allem dem einen 20
Chauffeur wurde das erschreckend klar. Als er nämlich
halten wollte, um sich bei seinem Fahrgast zu erkundigen,
warum er ziellos durch Dutzende von Haupt= und Neben=
straßen fahren solle, bemerkte er im Spiegel, daß der vor=
nehme Herr einen Revolver aus der Tasche zog.   25
In dem Taxi, das dem ersten folgte, ging es etwas ge=
mütlicher zu. Der Komponist Struve fand, nach einigem
Suchen, einen Bogen Notenpapier. Er riß den Bogen in
kleine Stücke und schrieb auf die so entstandenen Zettel

haftig mit seinem Bleistift. Auf jedem Zettel stand der=
selbe Text, und zwar: „Taxi I A 32875 sofort anhalten!
Fahrgast gesuchter Verbrecher!   In Sachen Holbein=
Miniatur!"

5   Jedem Verkehrspolizisten, den sie passierten, warf
Struve einen solchen Zettel zu. Der Schupo am Stein=
platz drückte seinen Zettel einer Polizeistreife in die Hand.
Die Streife benachrichtigte ihr Revier. Der Revier=
inspektor fragte beim Polizeipräsidium an. Der zu=

ständige Kommissar gab die nötigen Anweisungen.   Und es
dauerte nicht lange, so fuhren zahlreiche Motorstreifen durch
den Berliner Westen und suchten das Taxi I A 32875.

An der Gedächtniskirche fiel Professor Horn das erste
dieser Polizei-Motorräder auf.   Es hielt an der Ranke= 5
straße, und der Beiwagenfahrer zeigte auf das Taxi.

„Fahren Sie zu!" rief Professor Horn.

„Es ist doch rotes Licht," erwiderte der Chauffeur.

Professor Horn hob den Revolver.   Und das Taxi
sauste trotz des roten Lichtes in die Tauentzienstraße 10
hinein.

Rudi Struve sprang in seinem Wagen auf.   „Hinter=
her!" schrie er außer sich.   „Hinterher!"

Die Jagd ging weiter.

Und dicht hinter den zwei Taxis folgte das Motorrad 15
mit den Polizisten.

Vor dem Kaufhaus des Westens stoppte das erste Taxi.
Der Fahrgast sprang heraus und rannte mit großen
Schritten in das Portal des Warenhauses.   Der zweite
Chauffeur bremste ebenfalls.   „Warten Sie hier!" rief 20
Rudi Struve und folgte dem Flüchtling.   Im Portal
stieß Struve mit den Polizisten zusammen, die soeben vom
Motorrad gestiegen waren.   „Kommen Sie!" schrie der
Komponist und stürzte sich temperamentvoll mitten in die
Woge der Kauflustigen.   25

Professor Horn war verschwunden.

„Lassen Sie alle Ausgänge absperren!" sagte Struve
und eilte der Treppe zu.

Die Besucher hatten sich gerade von dem Kommissar

verabschieden wollen, als das Revier Steinplatz anläutete
und den Text des Zettels, der das Taxi I A 32875 betraf,
durchgab.

Der Kommissar hatte das Notwendige angeordnet.
5 Motorstreifen wurden losgeschickt. Außerdem wurden die
Ausfallstraßen der Stadt besetzt. Mehr ließ sich im
Moment nicht tun.

Nun saßen die drei Besucher wieder auf ihren Stühlen
und blickten ergeben auf das Telephon.

10   „Vielleicht haben wir Glück," sagte der Kriminal=
kommissar, „und erwischen den jungen Mann doch noch!"

„Aber wer um alles in der Welt fährt hinter seinem
Taxi her?" fragte der alte Kunstsammler skeptisch. „Wer
veranstaltet diese merkwürdige Schnitzeljagd?"

15   Der Beamte zuckte die Achseln. „Ich habe keine
Ahnung. Möglicherweise ist es die Konkurrenz. Viel=
leicht ist es aber auch einer seiner Komplizen, der uns nur
auf eine falsche Spur lenken will. Wer kann das wissen?"

Es klopfte.

20   Ein Wachtmeister trat ins Zimmer. „Ein Brief für
Herrn Steinhövel! Wurde soeben abgegeben."

Der Kunstsammler nahm den Brief in Empfang. Der
Wachtmeister zog sich zurück. Herr Steinhövel öffnete
das Kuvert, las den Brief und reichte ihn wortlos dem
25 Kommissar. Der las ihn auch und gab ihn an Irene
Trübner und Herrn Külz weiter.

„Aha!" rief Oskar Külz. „Mit dieser Handschrift
schrieb die Bande dem jungen Mann einen Brief. Auf
der Fähre. Und später mir, als sie die falsche Miniatur
30 zurückbrachte. In Warnemünde. Gestern nacht." Er

wandte sich an den Beamten. „Aber wieso können die Brüder denn noch Briefe schreiben? Ich denke, Sie haben sie hinter Schloß und Riegel!"

„Wir haben bestimmt nur einen Teil der Bande festge= nommen," meinte der Kommissar.

Irene Trübner nickte. „Der Brief stammt wahrschein= lich von dem Herrn mit dem weißen Bart und der dunklen Brille. Ich hatte immer das Gefühl, daß er der An= führer ist."

„Und was wollen wir nun tun?" fragte Herr Stein= hövel.

Der Kommissar drückte auf eine Klingel. „Wir fahren selbstverständlich hin. Ich werde Zivilbeamte voraus= schicken. Die sollen das Haus unauffällig umstellen, ehe wir hineingehen."

Der Wachtmeister erschien. Der Kommissar erteilte die nötigen Befehle. Dann sagte er: „Kommen Sie! Begeben wir uns in die Höhle des Löwen!"

Sie brachen auf.

Der Brief blieb auf dem Schreibtisch zurück. Er lautete:

„DIE VOM HOLBEINRAUB BETROFFENEN HERR- SCHAFTEN WERDEN HIERDURCH HÖFLICH GEBETEN, NACH BEUSTSTRASZE 12 a ZU KOMMEN."

Sämtliche Ein= und Ausgänge vom Kaufhaus des Westens waren von Schupos abgesperrt.

Der Komponist Struve raste, von mehreren Beamten gefolgt, über alle Treppen, durch alle Korridore und Gänge. Die Abteilungschefs durchsuchten mit ihren Angestellten

sämtliche Winkel und Schränke. Sie leuchteten mit Ta=
schenlampen unter die Ladentische. Sie blickten hinter alle
Vorhänge. Die Fahrstühle waren stillgelegt worden. Die
Liftboys und die Packer stiegen in die Keller und ließen
5 kein Brett auf dem andern.

Professor Horn war und blieb verschwunden!

Die im Warenhaus eingesperrten Menschen wurden
immer unruhiger. Und die Schupos, die Herrn Rudolf
Struve begleiteten, wurden immer müder und warfen dem
10 kleinen, dicken Herrn, der sie anführte, immer häufiger
höchst mißtrauische Blicke zu.

Wer weiß, was noch alles geschehen wäre, wenn sich
nicht unter den Passanten vorm Kaufhaus ein kleines
Mädchen von etwa sechs Jahren befunden hätte! Dieses
15 Kind, das Mariechen hieß, stand mit seiner Mutter in der
Ansbacherstraße. Die Mutter tauschte mit den Umste=
henden allerlei Bemerkungen aus. Mariechen hingegen
betrachtete die Schaufenster.

Plötzlich sagte das Kind sehr laut und aufgeregt:
20 „Mutti, guck' mal! Die große Puppe klappert mit den
Augen!"

Alle, die Mariechens Bemerkung gehört hatten,
blickten in das zunächst befindliche große Schaufenster.

Mitten in der Auslage, zwischen Mänteln, Schals,
25 Hüten, Pyjamas und Oberhemden, saß eine elegant be=
kleidete Schaufensterpuppe.

Ein vornehmer älterer und glattrasierter Herr . . .

„Das ist ja ein Mensch!" schrie eine schrille Stimme.

Das achtzehnte Kapitel

Idiomatische Ausdrücke

Sie machten große Augen. They opened their eyes wide.

auf keinen Fall, under no circumstances.

Er machte sich bekannt (mit). He introduced himself (to).

in einiger Sorge sein, be somewhat worried.

zur Zeit, at the present time.

Sollten wir die Imitation haben? Is it possible that we have the imitation?

Ich bekam von neuem Angst. My fears were revived.

Wir wollen's hoffen. Let's hope so.

Liegt Ihnen an? Are you interested in; do you want?

Man kommt ja zu nichts. One has time for nothing.

Herr Kühlewein lernt das Fürchten

Als das Polizei=Auto vor dem Gebäude Beuststraße 12a hielt, machten die Fahrgäste zunächst einmal große Augen. Und der Kriminalkommissar sagte: „Seit wann residieren denn Einbrecher in Versicherungsgebäuden?" Er kletterte aus dem Wagen und half der jungen Dame 5 und den zwei alten Herren beim Aussteigen.

Irene Trübner trat rasch zu ihrem Chef. „Das ist doch die Gesellschaft, bei deren Kopenhagener Vertreter wir die Miniatur vor einer halben Woche versichert haben!" 10

Der Kommissar sprach bereits mit dem Portier. Dann kam er eilends zurück. „Der Generaldirektor erwartet uns. Der Portier soll uns ins erste Stockwerk bringen." Er lächelte. „Da kann ich wohl meine Leute, die das Haus umstellt haben, wegschicken?" 15

„Auf keinen Fall!" rief Külz. „Wer weiß, was hier
wieder für ein Schwindel dahintersteckt! Womöglich will
man uns in eine Falle locken, und der Generaldirektor und
sogar der Portier sind verkleidete Räuber! Lassen Sie
5 Ihre Wachtposten ruhig noch ein bißchen hier!"

„Na schön," sagte der Beamte und ging den anderen,
die ihm zögernd folgten, voraus. Ein Bote brachte sie in
den ersten Stock und führte sie in einen luxuriös einge=
richteten Empfangsraum.

10   Wenig später erschien der Generaldirektor der „Bero=
lina", Herr Kühlewein. Er sah sehr elegant und reprä=
sentativ aus, machte sich mit den Herrschaften bekannt und
freute sich, wie er wiederholt betonte, ganz außerordentlich,
den berühmten Kunstsammler Steinhövel bei sich zu sehen.

15   Dann setzte er sich, drückte energisch auf eine Klingel
und wandte sich wieder an den Sammler. „Ich bin über
den Abschluß zwischen Ihnen und unsrer Gesellschaft nur
im allgemeinen orientiert. Aber ich glaube gehört zu
haben, daß Sie wegen der Miniatur, die Sie in Kopen=
20 hagen für sechshunderttausend Kronen gekauft und bei
Kristensen, unserm dänischen Vertreter, mit fünfhundert=
tausend Mark versichert haben, zeitweilig in einiger Sorge
waren."

Die anderen Anwesenden wechselten erstaunte Blicke.
25 Steinhövel faßte sich als Erster. „Ich war in Sorge?
Erlauben Sie, Herr Kühlewein! Ich bin noch immer
in Sorge! In großer Sorge sogar!"

Der Generaldirektor begriff das nicht. „Aber warum
denn, verehrter Herr Steinhövel?"

30   Ein Angestellter trat ins Zimmer und verbeugte sich.

„Lieber Klapproth," sagte der Direktor, „hier ist der Tresorschlüssel. Seien Sie so gut und bringen Sie uns das Päckchen, das die Kopenhagener Miniatur enthält."

Klapproth ergriff den Tresorschlüssel und entfernte sich.

Herr Steinhövel schien sehr aufgeregt. „Sie müssen 5 verzeihen, Herr Kühlewein, daß wir außer uns sind. Aber die Miniatur, die Sie in Ihrem Tresor zu haben behaupten, wurde vor ungefähr einer Stunde aus der Wohnung des Herrn Külz gestohlen!"

„Jawohl," sagte Külz. „Sie hing überm Sofa in der 10 Ladenstube."

Fräulein Trübner ergänzte: „Weil wir sie für die Imitation hielten. Das war jedoch ein Irrtum."

Der Kommissar griff ein. „Zur Zeit suchen zwei Dutzend unserer Motorstreifen ganz Berlin nach einem 15 Taxi ab, in dem vermutlich der Miniaturendieb sitzt und samt dem echten Holbein fliehen will!"

„Aber das ist doch unmöglich!" rief der Generaldirektor. „Ich versichere Sie, daß die Miniatur nicht gestohlen worden ist, sondern wohlbehalten in unserem Tresor liegt 20 und in wenigen Augenblicken Herrn Steinhövel überreicht werden wird!"

Aber plötzlich wurde der Herr Generaldirektor unsicher. „Die junge Dame sprach von einer Imitation. Sollten wir die Imitation haben?" 25

„Nein," meinte Herr Steinhövel und holte ein Päckchen aus der Tasche. „Die Imitation haben wir bereits."

Da erschien Herr Klapproth wieder, gab seinem Chef den Tresorschlüssel und das Päckchen, das er hatte holen sollen. 30

Die anderen saßen wortlos und starrten auf das ge=
heimnisvolle Päckchen.

„Darf ich bitten?“ Herr Kühlewein überreichte es dem
alten Sammler mit einer schwungvollen Handbewegung.
5 Dieser schnürte das Päckchen hastig auf, wickelte das
Holzkästchen aus und öffnete es.

„Die Miniatur!“ flüsterte Fräulein Trübner. „Tat=
sächlich!“

Der Sammler zog die Lupe aus der Tasche, prüfte die
10 Miniatur einen Augenblick, lehnte sich im Stuhl zurück
und murmelte: „Unglaublich! Es ist die echte!“

„Nun also!“ erklärte der Generaldirektor. Er wandte
sich an Herrn Klapproth und sagte lächelnd: „Die Herr=
schaften wollten es nicht glauben, sondern behaupteten eben,
15 dieses Päckchen sei vor einer Stunde gestohlen worden und
der Dieb suche mit der Miniatur in einem Taxi zu ent=
fliehen.“ Er zog belustigt die Brauen hoch. „Lieber
Klapproth, seit wann liegt das Päckchen in unserem ein=
bruchssicheren Tresor?“

20 Der Prokurist beugte sich vor und erwiderte leise: „Seit
etwa einer halben Stunde.“

Der Generaldirektor der „Berolina“ sprang entsetzt auf.
„Was sagen Sie da? Erst seit einer halben Stunde?
Schicken Sie sofort den Angestellten her, der die Sache
25 bearbeitet hat!“

Klapproth eilte aus dem Zimmer.

Herr Kühlewein wanderte auf dem großen, weichen
Teppich, der den Boden bedeckte, hin und her und blickte
drohend nach der Tür. „Sie müssen entschuldigen,“ be=
30 gann er. „Ich erfuhr vor zwanzig Minuten, daß Herr

„Die Miniatur!" flüsterte Fräulein Trübner.

Steinhövel unterwegs sei, um die Miniatur abzuholen. Als Sie mit einem Kriminalkommissar erschienen, wunderte ich mich ein wenig. Aber es scheint, daß ich mich heute noch öfter zu wundern Gelegenheit finden werde."

Die Tür öffnete sich. Ein junger Mann trat ins Zimmer.

„Einer unserer Subdirektoren," erklärte Herr Kühlewein ungnädig. „Er kennt die Materie."

Der junge Mann, der die Materie kannte, verbeugte sich und kam näher.

Es war Herr Joachim Seiler!

Außer Irene Trübner verstand zunächst niemand, warum der alte Külz aufsprang und wie ein Indianer auf den jungen Mann losstürzte.

Der Stuhl fiel um. Külz rief „Hurra!" und zog den Subdirektor der „Berolina" an seine Brust. Er lachte unbändig. „Ich hab's ja gleich gesagt, daß Sie kein richtiger Gauner sind!" Dann drehte er sich stolz um und wies auf Seiler. „Das ist er, meine Herren! Das ist er!"

„Wer ist das?" fragte Generaldirektor Kühlewein.

Der Kriminalkommissar erklärte: „Es handelt sich vermutlich um den Mann, der vor einer Stunde die Miniatur aus der Wohnung des Herrn Külz entwendet hat."

„Allmächtiger!" murmelte der Generaldirektor. „Seiler, Sie sind ein Dieb?"

Der junge Mann zuckte verlegen die Achseln. „Es mußte sein! Lieber Herr Külz, ich ersuche nachträglich um die Erlaubnis, bei Ihnen stehlen zu dürfen!"

„So oft Sie wollen, mein Junge!" rief Külz. „Ich

bin ja so froh, daß Sie kein Einbrecher sind, sondern nur
einbrechen!"

Joachim Seiler meinte: „Es war ziemlich verwickelt.
Ich hatte den Eindruck, daß die Polizei nur einen Bruchteil
der Bande in meiner Wohnung erwischt hatte. Ich begab
mich eigentlich nur vorsichtshalber in Ihre Wurstfabrik,
Papa Külz. Es wäre natürlich ebenso gut möglich ge=
wesen, daß die Miniatur bereits in Herrn Steinhövels
Villa angekommen war. Sie war aber nicht. Sie hing
über Ihrem Sofa."

Der alte Kunstsammler war nachdenklich geworden und
fragte: „Wußten Sie denn, daß Sie in Warnemünde
nicht das Original, sondern die Kopie gestohlen hatten?
Oder war das ein bloßes Versehen?"

Generaldirektor Kühlewein schnappte merklich nach
Luft. „Was? In Warnemünde hat unser Herr Seiler
auch schon gestohlen?"

„O ja," erwiderte der junge Mann bescheiden. „Es
mußte sein! Man kann nicht immer, wie man will. Als
in dem Tanzlokal das Licht erlosch, war mit Glacéhand=
schuhen nichts mehr auszurichten. Ich riß Fräulein
Trübners Handtasche auf, griff rasch hinein und ent=
wendete die Miniatur."

Der Kommissar blickte den Delinquenten mißtrauisch
an. „Wie kommt es dann, daß Sie in Warnemünde
zwar das Original stahlen, daß wir aber in Ihrer
Wohnung die Imitation fanden? Ich danke Ihnen
übrigens dafür, daß Sie uns die Bande ausgeliefert
haben!"

„Gerne geschehen!" sagte der junge Mann. „Was nun

die beiden Miniaturen betrifft, war die Manipulation sehr
einfach. Als das Licht erlosch, lag die Kopie noch auf dem
Tisch. Sie war ja Herrn Külz gerade erst von der Bande
heimlich zurückgebracht worden! Ich stahl im Dunkeln
5 das Original aus Fräulein Trübners Handtasche. Dann
legte ich es, als sei es die Kopie, auf den Tisch, und nun
stahl ich die Kopie! Und mit der Kopie floh ich." Er
besann sich und lächelte amüsiert. „Nun mußten natürlich
alle Beteiligten glauben, ich sei mit dem Original ver=
10 schwunden! Dadurch verlor die Bande an Fräulein
Trübner und Herrn Külz jegliches Interesse. Sie ver=
folgte von jetzt ab mich und das vermeintliche Original in
meiner Tasche. So gelang es mir, die Kerle von Warne=
münde bis nach Berlin hinter mir herzulocken. Und
15 dann ließ ich sie in meiner Wohnung verhaften. Es
war verhältnismäßig einfach, wie Sie sehen. — Und das
wirkliche Original war vorläufig in Sicherheit. Und
Fräulein Trübner und Herr Külz auch."

„Großartig!" rief der Fleischermeister. „Fabelhaft!
20 Wenn man so was hört, könnte man neidisch werden!"

Der alte Kunstsammler nickte bedächtig.

Generaldirektor Kühlewein allerdings, der war ge=
brochen! Solche Methoden waren ihm im Versicherungs=
gewerbe neu.

25 Joachim Seiler fuhr in seinem Bericht fort. „Während
ich von meinem Stammcafé aus zusah, wie das Überfall=
kommando die Bande aus meiner Wohnung herausholte,
erhielt ich vom Bandenchef, der sich übrigens noch immer
in Freiheit befindet, einen Brief. Kurz darauf fuhr er in
30 einem Taxi an mir vorüber. Er hatte sich zwar seinen

prächtigen weißen Bart abnehmen lassen, aber ich erkannte
ihn trotzdem. Und nun bekam ich von neuem Angst. Ich
fuhr schleunigst zur Yorckstraße und besuchte Frau Külz.
Falls die Miniatur dort war, mußte sie unbedingt in
Sicherheit gebracht werden. Und so stahl ich, nachdem ich 5
in Warnemünde die Kopie gestohlen hatte, in Berlin auch
noch das Original."

„Und jener Mann, den unsere Motorstreifen verfolgen,
ist der Chef der Bande?" fragte der Kommissar.

„Wir wollen's hoffen," meinte Joachim Seiler. Er 10
war etwas unaufmerksam geworden und blickte zu Irene
Trübner hinüber, die aus dem Fenster sah.

„Können Sie hexen?" fragte der Kommissar. „Wann
haben Sie bloß Zeit gefunden, den Verkehrspolizisten im
Westen jene Zettel mit der Nummer des Taxis zuzuwerfen, 15
in dem Ihr rasierter Räuberhauptmann saß?"

„Hexen kann ich nicht," antwortete der junge Mann.
„Und mit den Zetteln habe ich nichts zu tun. Die muß
mein Freund Struve verteilt haben."

Külz lachte unbändig: „Der kleine Dicke aus Bautzen 20
ist Ihr Freund? Na hören Sie, der hat ja einen schönen
Spektakel gemacht, weil man ihn verhaftet hatte."

„Ich weiß," sagte Seiler. „Wir trafen uns im Café.
Und ich schickte ihn schleunigst hinter dem Räuberhaupt=
mann her. Wer weiß, wo er jetzt steckt. Hoffentlich ist 25
ihm nichts zugestoßen."

Der Kommissar erklärte dem Generaldirektor, wieso ein
Komponist namens Struve verhaftet worden war.

„Entsetzlich!" erklärte Herr Kühlewein. „Unter falschem
Namen ist unser Subdirektor auch aufgetreten?"   30

„Es mußte sein," behauptete Joachim Seiler. „Ich
war in Kopenhagen Zeuge, wie Fräulein Trübner und
Herr Külz von einigen Mitgliedern der Bande beobachtet
und verfolgt wurden. Deswegen suchte ich, unter fremdem
5 Namen und Vorwand, die Bekanntschaft der beiden Herr=
schaften zu machen. Ich mußte in der Nähe sein, wenn es
ernst werden sollte!"

Irene Trübner sagte: „Herr Seiler erfand sogar eine
Leipziger Kusine, die Irene heißt. Und einen Vetter, der
10 in Hannover Ohrenarzt ist."

„Die Kusine war gelogen," gab der junge Mann zu.
„Doch der Ohrenarzt stimmt!"

Generaldirektor Kühlewein rang die Hände. „Welche
Delikte haben Sie eigentlich in den paar Tagen nicht
15 begangen?"

„Liegt Ihnen an einer exakten Aufzählung?" fragte
Seiler.

„Nein!" rief Herr Kühlewein. „Nein! Setzen Sie
sich endlich hin, Sie Verbrecher!"

20 Joachim Seiler nahm Platz. Er hatte mörderischen
Hunger.

Während der Kriminalkommissar dem Kunstsammler
und dem Generaldirektor in logischer und historischer
Folge die abenteuerliche Geschichte der beiden Holbein=
25 Miniaturen erzählte, betrachtete der junge Mann die
junge Dame.

Als der Kommissar seinen Bericht beendet hatte, erhob
sich der alte Herr Steinhövel, reichte dem jungen Mann
die Hand und sagte: „Ich danke Ihnen herzlich und be=
30 glückwünsche Sie zu Ihrer Belohnung."

„Zu welcher Belohnung denn?" fragte Seiler.

„Herr Steinhövel hat für die Wiederbeschaffung der Miniatur eine Belohnung von zehntausend Mark ausgesetzt," erwiderte der Kommissar. „Es steht doch heute in allen Blättern!"

„Ich habe noch keine Zeitungen gelesen. Man kommt ja zu nichts!" sagte der junge Mann. „Aber zehntausend Mark kann man immer brauchen."

Das neunzehnte Kapitel

Idiomatische Ausdrücke

Nun stimmt's aber. Now it's all straightened out.

Er saß in Gedanken. He was deep in contemplation.

Sollten Sie sich nicht irren? Aren't you mistaken?

Nimm mir's nicht allzu übel. Don't hold it too much against me.

Es bleibt dabei. That's settled.

Das lohnt sich. That's worth while.

Gütiger Himmel! Good Heavens!

Was hat's gegeben? What was the matter?

Besten Dank. Thank you very much.

Nun stimmt's aber!

Generaldirektor Kühlewein saß in Gedanken. Er wußte noch immer nicht, ob er sich freuen oder ärgern sollte.

Joachim Seiler enthob ihn des weiteren Nachdenkens und sagte: „Ich habe den Eindruck, daß Sie die Maß=
5 nahmen, die ich für nötig hielt, mehr oder weniger miß=
billigen!"

„Ganz recht," erwiderte der Generaldirektor.

„Und Sie halten es," fuhr Seiler fort, „für unmoralisch, daß ich dafür auch noch zehntausend Mark erhalten soll."

10 „Ganz recht," bestätigte der Generaldirektor.

Der junge Mann erhob sich. Seine Augen blitzten. „Unter diesen Umständen möchte ich Herrn Steinhövel mit=
teilen, daß ich auf die Belohnung verzichte. Und Herrn Generaldirektor Kühlewein bitte ich um meine sofortige Ent=
15 lassung. Mahlzeit!" Er verbeugte sich und ging zur Tür.

182

Doch Fleischermeister Külz war rascher. Er postierte sich vor der Tür und versperrte den Weg. „So ein Hitz= kopf!" rief er. „Das erlaube ich nicht. Ist das hier eine Versicherungsgesellschaft oder ein Kindergarten? Herr Steinhövel hat seinen Holbein wieder. Die Versicherungs= gesellschaft hat eine halbe Million Mark gespart. Die Polizei hat eine Verbrecherbande erwischt. Was ver= langen Sie eigentlich noch von Ihren Angestellten, Herr Generalbürokrat?"

„Bravo!" sagte Herr Steinhövel und applaudierte geräuschlos. „Sollten Sie die Kündigung annehmen, engagiere ich den jungen Mann augenblicklich. Und die Belohnung, lieber Herr Seiler, die gehört Ihnen, ob Sie nun wollen oder nicht! Sie werden mich doch nicht be= leidigen!"

Papa Külz schob seinen Arm unter den des jungen Mannes und führte ihn ins Zimmer zurück.

Herr Kühlewein stand auf. Er war verlegen. „Ich nehme Herrn Seilers Kündigung nicht an. Die Herr= schaften entschuldigen mich. Ich muß in mein Büro. Zu ganz gewöhnlichen Geschäften." Er wandte sich an Seiler. „Ich möchte Sie noch sprechen, bevor Sie aus dem Haus gehen, Herr Direktor!"

Dann entfernte er sich.

Der Kriminalkommissar blickte auf die Uhr und war überrascht. „Ich muß mich verabschieden. Auch ich muß ins Büro. Die Bande, die Herr Direktor Seiler freund= licherweise in seiner Wohnung eingesperrt hatte, ist begierig, sich mit mir ausführlich zu unterhalten."

„Erinnern Sie mich nicht an meine Wohnung!" bat der

junge Mann. „Ich fürchte, die Bande hat, als das Über=
fallkommando ankam, mein bescheidenes Mobiliar als
Barrikaden benutzt."

Der Kunstsammler reichte dem jungen Mann einen
5 Scheck. „Hier ist die Belohnung, Herr Direktor. Für
den Schaden in Ihrer Wohnung komme ich selbstver=
ständlich auf."

Sie gaben einander die Hand. Seiler bedankte sich.
Der Sammler winkte ab. „Dieser Holbein," er wies auf
10 das Holzkästchen, „bedeutet für mich viel mehr, als sich in
Ziffern ausdrücken läßt. Fräulein Trübner wird so nett
sein, Ihnen bei der Beschaffung der neuen Möbel zu helfen."

„Großartig!" Seiler war begeistert. „Ich halte viel
von Fräulein Trübners Geschmack."

15 Es klopfte.

Ein Polizist trat ein und salutierte. „Herr Kommissar,
Inspektor Krüger schickt uns. Wir sollen Ihnen einen
Mann vorführen, den wir im Kaufhaus des Westens aus
einem Schaufenster herausgeholt haben. Stören wir?
20 Der Inspektor meinte, hier seien Herrschaften, die den
Mann identifizieren und auch sonst nützliche Angaben
machen könnten."

„Warum bringt ihr denn nicht gleich das ganze Unter=
suchungsgefängnis mit?" fragte der Kommissar. „Also
25 herein mit dem Kerl!"

Der Wachtmeister rief etwas in den Korridor hinaus
und trat zur Seite. Etliche Polizisten führten einen
älteren, elegant gekleideten Herrn ins Zimmer. Er war
glattrasiert, schaute sich ruhig um und runzelte, als er
30 Joachim Seiler entdeckte, die hohe Stirn.

Hinter den Beamten folgte der kleine, dicke Komponist Struve. „Ich hatte gehofft, Sie niemals wiederzusehen," sagte er streng zum Kommissar. Dann begrüßte er die anderen. Zuletzt seinen Freund Seiler. „Menschenskind, hoffentlich haben wir den Richtigen erwischt." 5

„Es ist der Richtige," erwiderte Seiler. „Der weiße Bart ist zwar verschwunden, und die dunkle Brille auch. Doch der Herr, der so gern Briefe schreibt, ist übriggeblieben."

„Wahrhaftig," flüsterte Irene Trübner. „Jetzt erkenne ich ihn auch wieder." 10

„Der Herr aus der Pension Curtius!" erklärte Fleischermeister Külz überrascht. „So muß ich Sie wiedersehen!"

Der Kriminalbeamte fragte: „Wie heißen Sie?" 15

„Professor Horn."

„Sollten Sie sich da nicht irren?" fragte der Kommissar. „Wäre es nicht ebenso gut möglich, daß Sie gar kein Professor sind und Klotz heißen?"

„Auch das ist möglich," sagte der Bandenchef. „Es wäre unhöflich, Ihnen zu widersprechen." 20

„Ein ungewöhnliches Zusammentreffen," behauptete der Kommissar. „Es ist zwar schon oft vorgekommen, daß Ihre Firma einen Diebstahl beging und daß wir Sie nicht gekriegt haben. Aber daß Ihnen ein Diebstahl mißlang und wir Sie trotzdem erwischt haben, ist neu." 25

„In der Tat," meinte der Professor. „Daran ist der junge Mann schuld." Er wies auf Seiler. „Ich glaubte, bis ich dieses Zimmer betrat, er sei ein Konkurrent von uns. Und nun muß ich zu meinem Bedauern erfahren, 30

daß er seine Talente als sogenanntes nützliches Glied der
sogenannten menschlichen Gesellschaft vergeudet."

Der Kommissar gab den Polizisten einen Wink.   Sie
verließen mit Herrn Klotz das Zimmer. — Struve wurde
5 von dem Kommissar wegen seines Erfolges als Kriminalist
belobigt.

Der Komponist wehrte die Komplimente ab.   „Ich
hab's ja nur getan, weil mir Seiler versprochen hat, mir
nun den Kerl zu zeigen, der sich meines Namens bedient
10 hat.   Damit ich ihm endlich eine Ohrfeige geben kann."

„Sie wissen nicht, wer der falsche Struve war?" fragte
Irene Trübner erstaunt.

„Ich habe keine Ahnung," erwiderte Struve.

Külz schmunzelte.   „Na, da können Sie ja nun Ihre
15 Ohrfeige loswerden."

„Was denn?"   Der kleine, dicke Musiker starrte den
Fleischermeister an.   „Der Kerl ist hier im Zimmer?"

Die anderen nickten.

„Seiler," murmelte Struve.   „Wer von den An=
20 wesenden war's?   Schnell!"

„Ich war es selber!" antwortete der junge Mann.
„Rudi, nimm mir's nicht allzu übel.   Mir fiel gerade kein
anderer Name ein.   So, und jetzt gib mir die Ohrfeige."

Struve lächelte verlegen.   Dann gab er Seiler einen
25 kräftigen Rippenstoß und meinte: „Unter Freunden?
Nee."

Der Kommissar war gegangen, um die Zivilbeamten,
die das Versicherungsgebäude noch immer bewachten,
heimzuschicken.

Herr Steinhövel hatte nach seinem Wagen telephonieren lassen. Sie saßen und warteten. Külz schilderte dem Komponisten die Abenteuer, die Seiler zwischen Kopenhagen und Berlin bestanden hatte.

Seiler hörte nicht zu. Er saß neben Irene Trübner 5 und fragte, wie schon einmal vor vierundzwanzig Stunden: „Wollen wir uns wieder vertragen?"

Sie ließ die Frage unbeantwortet und erklärte: „Ich komme heute abend in Ihre Wohnung, Herr Direktor, und werde mir den Schaden besehen. Morgen können wir 10 dann neue Möbel kaufen. Ich kenne verschiedene Geschäfte, wo man gut und billig kaufen kann."

Er schwieg.

„Paßt es Ihnen heute abend gegen sieben Uhr?" fuhr sie fort. „Sie wohnen ja ganz in meiner Nähe. In 15 der Holtzendorffstraße, nicht wahr? Welche Nummer, bitte?"

Er betrachtete sie feindselig. Seine Augen glichen feurigen Kohlen.

Sie sagte: „Ach nein! Sie wohnen ja gar nicht in der 20 Holtzendorffstraße. Das war ja gelogen, Herr Direktor! Darf ich um die wirkliche Adresse bitten? Aber nicht nur ungefähr, ja?"

Er rückte von ihr ab. „Ich verzichte auf Ihre gütige Mitwirkung. Einen Tisch und ein paar Stühle kann ich 25 mir auch allein besorgen."

„Mein Chef hat mich beauftragt, Ihnen zu helfen. Ich komme gegen sieben Uhr. Ich bin in geschäftlichen Angelegenheiten sehr zuverlässig."

Er wurde ungeduldig. „Ich öffne nicht. Sie brauchen 30

nicht zu kommen. Lieber will ich bis an mein Lebensende
in einem Hühnerstall wohnen."

„Also gegen sieben Uhr," erwiderte sie unerschütterlich.
„Es bleibt dabei."

5   Seiler sprang auf. „Unterstehen Sie sich!" rief er.
„Wenn Sie kommen sollten, werfe ich Sie die Treppe
hinunter! Ich wohne im vierten Stock, das lohnt sich!"
Dann lief er aus dem Zimmer und warf die Tür zu.

„Gütiger Himmel!" sagte Külz erschrocken. „Was
10 hat's denn gegeben?"

„Nicht das geringste," behauptete Fräulein Trübner.

„Na, ich weiß nicht!" erklärte der kleine, dicke Herr
Struve. „Wenn mir jemand mitteilte, daß er mich die
Treppen hinunterwerfen will, würde ich das doch etwas
15 seriöser auffassen."

„Er hat es aber gar nicht Ihnen, sondern mir mit=
geteilt," meinte sie. „Das ist ja doch ein Unterschied!"

Ihr Chef, der Kunstsammler, rieb sich die Hände.
„Wenn es keine Drohung war," meinte er, „dann kann es
20 nur eine Liebeserklärung gewesen sein."

„Wahrhaftig?" fragte Külz. „Na, da gratulier' ich von
ganzem Herzen, mein Kind. Ich habe lange nicht mehr
Pate gestanden."

Und obwohl es nicht üblich ist, dafür, daß man die
25 Treppe hinuntergeworfen werden soll, Gratulationen ent=
gegenzunehmen, neigte Irene Trübner den hübschen Kopf
und sagte: „Besten Dank, meine Herren!"

Ein Hausbote meldete, Herrn Steinhövels Auto sei
vorgefahren.

30 Man brach auf.

Der Kunstsammler hielt den Fleischermeister zurück und gab ihm ein Holzkästchen. „Das hätte ich ja fast vergessen! Darf ich Ihnen die Holbeinkopie, die Ihnen längst gehört, noch einmal, und nun für immer, schenken?"

Külz schüttelte ihm die Hand und steckte das Kästchen ein. „Das soll mir eine bleibende Erinnerung sein. Und meiner Emilie kauf' ich eine Tafel Schokolade."

Das Zimmer war höchstens eine halbe Minute leer.

Da kehrte Irene Trübner zurück, hob den Telephon=hörer ab und ließ sich mit Direktor Seiler verbinden.

„Hallo!" Seine Stimme klang rauh und heiser.

Sie antwortete nicht, sondern spitzte die Lippen.

„Hallo!" rief er mürrisch. „Zum Donnerwetter! Wer ist denn dort?"

„Die Irene," sagte sie leise. „Wollen wir uns wieder vertragen?"

Herr Steinhövel hatte in seinem Wagen Platz ge=nommen. „Wo ist denn meine Sekretärin?" fragte er.

Rudi Struve zeigte auf das Portal des Versicherungs=gebäudes. Die drei Männer lächelten.

Külz trat dicht an den Wagen und sagte: „Lieber Herr Steinhövel, wollen Sie mir noch einen sehr großen Ge=fallen tun?"

„Gerne!"

Külz holte das Kästchen aus der Tasche und gab es dem Sammler. „Sehen Sie doch, bitte, noch einmal genau nach, ob es auch ganz bestimmt die richtige Miniatur ist. Wenn es wieder die falsche wäre . . ."

Herr Steinhövel lachte. „Es ist bestimmt die falsche."

„Mit der falschen mein' ich die echte," erklärte Papa Külz.

„Na schön!" Der Sammler zog die Lupe aus der Tasche, klappte das Kästchen auf, betrachtete die Miniatur, die er verschenkt hatte, und erschrak. „Tatsächlich!" rief er. „Ich habe Ihnen das Original gegeben!"

„Entsetzlich!" murmelte Papa Külz. „Dann hätte das ganze Theater wieder von vorn anfangen können!"

Herr Steinhövel steckte den echten Holbein sorgfältig in die Brusttasche, gab Külz das andere Kästchen und sagte: „Nun stimmt's aber!"

In diesem Augenblick trat Irene Trübner aus dem Gebäude und nickte den drei Herren glücklich zu.

Fragen

Erstes Kapitel

1. Was steht vor dem Hotel in Kopenhagen? 2. Was tun die Gäste hier? 3. Was schmeckt ihnen sehr gut? 4. Wer setzte sich auch an einen Tisch? 5. Was für einen Anzug hatte er an? 6. Was hielt er in der rechten Hand? 7. Was bestellte Herr Külz von dem Kellner? 8. Wer saß an dem Tisch neben Herrn Külz? 9. Warum sprach sie so gut deutsch? 10. Was waren alle Verwandten von Herrn Külz? 11. Warum erschrak Herr Külz, als der Kellner die Wurst= platte brachte? 12. Wer saß einige Reihen weiter hinten? 13. Was hielten sie vors Gesicht? 14. Was für eine Nase hatte der eine Herr? 15. Wie war der andere Herr? 16. Wen wollte der Kleine anrufen? 17. Was legte Herr Külz schließlich beiseite? 18. Warum aß er nicht mehr? 19. Was nahm er aus der Tasche? 20. Wen hatte er in Berlin zurückgelassen? 21. Was wußte seine Frau nicht? 22. Wer wußte auch nichts davon? 23. Warum war er fortgelaufen? 24. An welchem Tage war Herr Külz von Berlin abgereist? 25. Wie oft hatte Herr Külz seiner Familie geschrieben?

Zweites Kapitel

1. Mit wem unterhielt sich Herr Külz? 2. Was zeigte Herr Külz dem fremden Herrn? 3. Was hätte der kleine Herr fast vergessen? 4. Was mußten beide Männer tun? 5. Was taten die beiden Männer dann? 6. Was brachte ein

Zeitungsbote ins Hotel? 7. Wer kaufte auch eine Zeitung? 8. Wie wurde Herr Külz? 9. Was wollte Herr Külz schreiben? 10. Wohin setzte sich der kleine Herr wieder? 11. Was fragte Herr Külz das Fräulein, nachdem er die Karte geschrieben hatte? 12. Was für einen Namen hatte Fräulein Trübner? 13. Warum hatte sie Angst? 14. Wer ging jetzt an ihnen vorüber? 15. Was fragte er den Portier? 16. Wen sah der junge Mann nicht einmal an? 17. Worum bat das Fräulein Herrn Külz? 18. Was wollte sie ihm unterwegs erzählen? 19. Was tat Herr Külz, ehe er auf die Straße trat? 20. Was taten Herr Storm und Herr Achtel? 21. Wo blieb Herr Storm stehen? 22. Was zündete er sich dort an? 23. Was hatte er auf dem Tisch gefunden? 24. Was stand unten auf der Karte? 25. Was wußten Herr Külz und die junge Dame nicht?

Drittes Kapitel

1. Wo saßen Herr Külz und Fräulein Trübner? 2. Was trennte den Park von der Straße? 3. Wer blickte durch das Tor in den Park? 4. Was taten zwei Bekannte von ihm? 5. Was wußten Fräulein Trübner und Herr Külz nicht? 6. Bei wem war das Fräulein Privatsekretärin? 7. Was sammelte Herr Steinhövel? 8. Was für Rahmen haben Miniaturen oft? 9. Wer war Holbein der Jüngere? 10. Wie hieß die Frau, die Holbein ohne Wissen des Königs malte? 11. Was sollte die Sekretärin mit der Miniatur tun? 12. Was konnte auf der Reise nach Berlin passieren? 13. Wohin ging Karsten von dem Portal? 14. Was taten seine zwei Freunde? 15. Was wollte Herr Storm später mit Herrn Külz tun? 16. Wer näherte sich auf der anderen Straßenseite? 17. Was sollte Herr Külz am nächsten Mittag

tun? 18. Was wollte Fräulein Trübner heimlich tun?
19. Was sollte Herr Külz am Bahnhof in Berlin tun?
20. Wer stand vor einem der Läden in der Bredgade?
21. Was tat Herr Külz, als er den Mann sah? 22. Wohin
wollte Herr Storm am nächsten Tage auch reisen? 23. Wie
war Herr Külz, als er das hörte? 24. Was wollte Fräulein
Trübner in der Stadt kaufen? 25. Was sagte ein junger
Herr zu der jungen Dame?

Viertes Kapitel

1. Was fragte das Fräulein den schlanken Herrn? 2. Was
ließ sie sich nicht anmerken? 3. Was nahm der fremde Herr
ab? 4. An wen erinnerte ihn die junge Dame? 5. Was
tat Fräulein Trübner dann? 6. Warum war der Herr froh,
daß sie nicht seine Kusine war? 7. Worauf zeigte die Dame
plötzlich? 8. Was tat sie dann? 9. Was tat der junge
Mann, als er zwei Passanten bemerkte? 10. Welche Schuh=
nummer wünschte Fräulein Trübner? 11. Was sagte
jemand neben ihr, als der Schuh paßte? 12. Wonach
fragte die junge Dame die Verkäuferin? 13. Wem gab die
Verkäuferin das Schuhpaket? 14. Was tat der junge Herr,
nachdem Fräulein Trübner ihn verlassen hatte? 15. Was
taten Herr Külz und Herr Storm in der Matrosenkneipe?
16. Warum wurde Herr Külz traurig? 17. Wie konnte
die Reise nach Berlin werden? 18. Wie wurde Storm nach
einer Weile? 19. Was merkte Külz schließlich? 20. Wohin
brachte Külz Herrn Storm? 21. In welchem Stock lag die
Pension? 22. Wer öffnete die Tür? 23. Wohin legte
Külz Herrn Storm? 24. Was hoffte Herr Külz? 25. Was
geschah, nachdem Herr Külz die Pension verlassen hatte?

Fünftes Kapitel

1. Was tat Herr Külz am kommenden Mittag auf dem Bahnhof? 2. Wie war er? 3. Was hätte er gern getan? 4. Wer erschien am Hauptportal? 5. Was fiel Herrn Külz ein, als er an seine Familie dachte? 6. Wer begleitete Fräulein Trübner, als sie endlich erschien? 7. Was tat Herr Külz jetzt? 8. Was sagte er zu dem Beamten? 9. Was wurde ihm in die Hand gedrückt? 10. Was tat er mit dem Päckchen? 11. Wen traf er auf dem Bahnsteig? 12. Wo blieb er endlich stehen? 13. Warum wollte Storm nicht in das Abteil? 14. Was fragte Storm einen Herrn in einem Coupé? 15. Wem sah dieser Herr ähnlich? 16. Was taten Storm und Herr Külz? 17. Was für ein Abteil fand Fräulein Trübner? 18. Wer saß an den Fensterplätzen? 19. Was taten die Fahrgäste draußen im Gang? 20. Wen sah Fräulein Trübner draußen im Gang? 21. Was tat der schlanke Herr dann? 22. Was holte der schlanke Herr endlich hervor? 23. Was tat Fräulein Trübner? 24. Was dachte sie bei sich? 25. Was tat Herr Rudi, während er zu schlafen schien? 26. Was fragte er, als er erwachte? 27. Wer passierte in diesem Augenblick den Gang?

Sechstes Kapitel

1. Was tat Herr Külz, als sie auf der Fähre waren? 2. Was fragte Herr Storm? 3. Wohin wollte Herr Külz gehen? 4. Warum wollte er in den Speisesaal gehen? 5. Warum mußte er noch einen Augenblick warten? 6. Was tat Herr Achtel mit seinem Koffer? 7. Wer erschien nach einer Weile? 8. Was taten alle Fahrgäste? 9. Was tat der Beamte schließlich? 10. Was tat Herr Külz mit seinem

Koffer? 11. Wie sah Fräulein Trübner nicht aus, als Herr Struve sich ihrem Tisch im Speisesaal näherte? 12. Was tat Herr Külz, als er vor Fräulein Trübners Tisch stand? 13. Was tat Herr Külz dann? 14. Was trug Herr Külz, als er zurückkehrte? 15. Warum wäre er beinahe zu spät zum Essen gekommen? 16. Wo hatte die zweite Zollkontrolle stattgefunden? 17. Was tat Herr Külz jetzt mit seinem Koffer? 18. Was nahm er aus dem Geldbeutel? 19. Wohin sollte Herr Külz gehen? 20. Was sollte er tun? 21. Was tat Herr Külz dann? 22. Was tat der junge Herr, der Rudi hieß? 23. Wohin setzte sich Herr Külz, als er an Deck kam? 24. Was wollte Herr Struve augenblicklich tun? 25. Wie war die gestohlene Miniatur?

Siebentes Kapitel

1. Wo stand Irene Trübner? 2. Was wußte Rudi nicht? 3. Was verstand Herr Külz gar nicht? 4. Warum hatte Fräulein Trübner ihm gesagt, daß die falsche Miniatur echt sei? 5. Wer hatte die Kopie machen lassen? 6. Was wußte niemand? 7. Wer waren die Männer, die Fräulein Trübner zum Bahnsteig gebracht hatten? 8. Was wollte Herr Struve wissen? 9. Welches Gefühl hatte Fräulein Trübner gehabt? 10. Welche Meldung hatten die Zeitungen gebracht? 11. Was hatte Fräulein Trübner zuerst nicht gewußt? 12. Welchen Gedanken hatte sie dann gehabt? 13. Was hatte sie Herrn Külz auf dem Bahnhof geben wollen? 14. Was sollten die Diebe glauben? 15. Warum hatte Fräulein Trübner Herrn Külz nicht die Wahrheit gesagt? 16. Was glaubte die Bande jetzt? 17. Wohin sollte Külz zurückkehren? 18. Was sollte er mit den Fahrgästen tun? 19. Was wollte er zuerst nicht? 20. Was tat er aber dann? 21. Was rief Herr Achtel, als

Külz in das Abteil trat? 22. Warum steckte Külz die Hand in die Brusttasche? 23. Wo waren die Zigarren? 24. Was wollte Külz tun? 25. Was tat Herr Achtel dann?

Achtes Kapitel

1. Wo lag der Herr, der Rudi hieß? 2. Was schien er zu tun? 3. Was hatte er wenigstens geschlossen? 4. Wer saß neben ihm? 5. Was tat sie? 6. Warum erwachte der junge Mann? 7. Was hatte Herr Külz der jungen Dame gesagt? 8. Wohin hatte Herr Külz sich gesetzt? 9. Was hatte er dane= ben gestellt? 10. Warum war Herr Külz nach der Pension gegangen? 11. Wo hatte er Herrn Storm kennengelernt? 12. Wann hatte er ihn wieder getroffen? 13. Wer von den beiden wurde am Abend betrunken? 14. Wann fiel Herrn Storm seine Adresse wieder ein? 15. Was hatte Herr Külz dann getan? 16. Wer öffnete die Tür der Pension? 17. Was wußte der Herr nicht? 18. Was tat Herr Külz mit Herrn Storm? 19. Wo traf er ihn am nächsten Tage? 20. Warum hatte er ihn auf dem Bahnhof getroffen? 21. Wie kam Herr Külz in das Abteil, wo die Diebe waren? 22. Wie konnte Herr Struve nicht mehr bleiben, als er Külz' Geschichte gehört hatte? 23. Was tat Herr Struve, als er wieder ernst geworden war? 24. Was tat Herr Külz, als Herr Struve eine Pause machte? 25. Wohin wollte er gehen? 26. Was wollte er dort tun?

Neuntes Kapitel

1. Wo hatte der Zug den Dampfer verlassen? 2. Was taten zwei Herren in einem Abteil zweiter Klasse? 3. Wer ging draußen im Gang vorbei? 4. Was tat der weißbärtige Herr dann? 5. Was tat der kleine Herr? 6. Was er=

zählte der kleine Herr dem weißbärtigen Mann? 7. Wie
nannte sich der weißbärtige Herr? 8. Was sollten alle in
Rostock tun? 9. Wohin ging Herr Storm? 10. Was tat
der weißbärtige Herr, als der Zug hielt? 11. Womit fuhr
er später zum Hotel Blücher? 12. Was lag auf seinen Knien?
13. Wer waren die drei Gäste, die im Hotel in Warnemünde
abgestiegen waren? 14. Wann wollten sie nach Berlin
fahren? 15. Worum bat die junge Dame Herrn Külz?
16. Was hatte er in Kopenhagen liegenlassen? 17. Was
drohte sie zu tun, wenn Külz nicht telephonierte? 18. Wo
blieb Fräulein Trübner stehen, als sie von einem Spazier=
gang zurückkehrte? 19. Was stand auf den Schildern vor
dem Tanzlokal? 20. Was beschloß Fräulein Trübner zu
tun? 21. Was für einen Tisch wählte Fräulein Trübner in
dem Tanzlokal? 22. Womit kämpfte Herr Külz? 23. Was
taten die jungen Leute? 24. Was fanden sie auf dem Tisch,
als sie zurückkehrten? 25. Was war in dem Päckchen?

Zehntes Kapitel

1. Wie ging es an den Tischen und in den Nischen zu?
2. Was tat Rudi Struve? 3. Was fürchtete er? 4. Worum
bat Fräulein Trübner die beiden Herren? 5. Was wollte sie
selber tun? 6. Wo standen die Herren Storm und Achtel
plötzlich? 7. Was holte Herr Struve unter dem Tisch
hervor? 8. Was gab er Herrn Külz auch? 9. Was wäre
Herrn Külz lieber gewesen? 10. Was hatten Storm und
Achtel getan? 11. Was tat Herr Storm, als er seinen
Freund Külz entdeckte? 12. Was für einen Kopf bekam
Herr Külz? 13. Was geschah im nächsten Augenblick?
14. Was taten die Tanzpaare und die Gäste? 15. Was
schrie jemand? 16. Was wurde zerbrochen? 17. Warum

hatten die Kellner Angst? 18. Was geschah nach einer Weile?
19. Was hielt Herr Külz in der Hand? 20. Was rief er?
21. Was war aus Fräulein Trübners Handtasche verschwun=
den? 22. Wo war Herr Struve? 23. Wer erschien etwas
später vor den Wachtmeistern? 24. Wie schien sich die junge
Dame, die er führte, nicht zu fühlen? 25. Was erzählte
Herr Külz den Wachtmeistern?

Elftes Kapitel

1. Wer saß in dem letzten der sechs Taxis? 2. Was hatte
er abgenommen? 3. Was hielt er in der Hand? 4. Welche
Absicht hatte er? 5. Wo saßen Storm und Achtel? 6. Was
hatten Fräulein Trübner und Herr Külz der Polizei vor=
gelegt? 7. Was hatten sie ihr auch mitgeteilt? 8. Wohin
wurde Fräulein Trübner gerufen? 9. Wen beschrieb Herr
Külz inzwischen? 10. Wovon berichtete er auch? 11. Warum
war es Herrn Steinhövel nicht um das Geld zu tun? 12. Was
tat der Inspektor eine Viertelstunde später? 13. Was wollte
er am nächsten Morgen tun? 14. Was sagte Herr Külz zu
Fräulein Trübner, als sie die Hoteltreppe hinaufstiegen?
15. Was wollte er ihr zurückgeben? 16. Warum sollte
Herr Külz die falsche Miniatur behalten? 17. Was wollte
er damit tun? 18. Was tat Fräulein Trübner? 19. Was
für Lokale gibt es in jeder Stadt? 20. Wer traf zuerst in
Vater Lieblichs Keller ein? 21. Wohin ließ er sich führen?
22. Was stand auf dem Schild an der Tür? 23. Wie war
Vater Lieblich? 24. Wer erschien nach und nach? 25. Was
hatte keiner von den Männern?

Zwölftes Kapitel

1. Was tat Professor Horn im Hotelzimmer? 2. Was tat Karsten? 3. Was wollte Professor Horn wissen? 4. Was hatte Fräulein Trübner mitgenommen, als sie zum Parkett hinunterging? 5. Was tat der Professor, als das Telephon klingelte? 6. Wie wurde sein Gesicht plötzlich? 7. Wen rief er dann an? 8. Was sollten Storm und die anderen Männer tun? 9. Wo sollten sie in fünf Minuten sein? 10. Was hatte der Professor erfahren? 11. Wann wollte der Professor Rostock verlassen? 12. Warum zuckten Storm und der Professor zusammen? 13. Wer hatte geklopft? 14. Was brachte sie dem Professor? 15. Von wem war der Brief? 16. Wer erschien, als der Professor klingelte? 17. Wer hatte ihr den Brief übergeben? 18. Was wollte der junge Mann von dem Portier wissen? 19. War der Mann in einem Taxi gekommen? 20. Wo befanden sich Fräulein Trübner und Herr Külz einige Stunden später? 21. Was fragte Herr Külz den Kommissar? 22. Warum war Herr Külz so hitzig? 23. Was wollte er schwören? 24. Was sollte Fräulein Trübner erzählen? 25. Was erfuhr der Kommissar telephonisch?

Dreizehntes Kapitel

1. Wie viele Männer waren in dem Autobus? 2. Wie sahen die Fahrgäste aus? 3. Wo saß Herr Professor Horn? 4. Was lag auf seinen Knien? 5. Wie sollten die Männer in einem Dorfe sein? 6. Welche Fragen gingen den Männern durch den Kopf? 7. Warum hatte der junge Mann seinen Wagen bei der Tankstelle gelassen? 8. Was wollte der Professor in Gransee noch einmal tun? 9. Wo wurde Herr Struve

inzwischen vernommen? 10. Was hielt der Kommissar in
der Hand? 11. Was für ein Gesicht machte Herr Struve?
12. Warum wunderte er sich nicht mehr? 13. Was wünschte
er natürlich zu wissen? 14. Was glaubte der Kommissar?
15. Wo war Herr Struve nie in seinem Leben gewesen?
16. Warum war Herr Struve nach Bautzen gefahren?
17. Warum war er nicht in Bautzen geblieben? 18. Wann
war er wieder abgereist? 19. Wen wollte der Kommissar
anrufen? 20. Warum konnte er das nicht? 21. Wo war
Herr Struve in den letzten Tagen immer gewesen? 22. Wie
war er, als der Kommissar ihn nach der Miniatur fragte?
23. Wer erschien, als der Kommissar auf eine Klingel drückte?
24. Was befahl der Kommissar dem Beamten? 25. Wohin
trat er dann?

Vierzehntes Kapitel

1. Was wollte Storm tun? 2. Warum war Professor
Horn dagegen? 3. Was fürchtete Karsten? 4. Was ent=
deckten sie nach zehn Minuten? 5. Was für ein Auto war es?
6. Neben wen setzte sich der Professor? 7. Was hielt er in
der Hand? 8. Wo hielt der graue Opel? 9. Was hatte
der junge Mann getan? 10. Wo stand er jetzt? 11. Mit
wem unterhielt er sich? 12. Was taten Herr Storm und
die anderen? 13. Warum hielt der Autobus schließlich?
14. Was wollte der Polizist sehen, nachdem der junge Mann
davongefahren war? 15. Was sagte er, als er den Führer=
schein zurückgab? 16. Wovon war schon lange nichts mehr
zu sehen? 17. Wem saßen Fräulein Trübner und Herr
Külz gegenüber? 18. Wen wollte der Kommissar vorführen
lassen? 19. Was tat der Kommissar, als das Telephon
klingelte? 20. Was tat Herr Külz, als er den kleinen, dicken

Herrn sah? 21. Was nahm Fräulein Trübner aus der Handtasche? 22. Wie waren der Kommissar und der Komponist? 23. Warum hatte Herr Külz gelacht? 24. Was wünschte Herr Struve sehr? 25. Wohin wollte Herr Külz fahren?

Fünfzehntes Kapitel

1. Wo war der junge Mann, der sich Rudi Struve genannt hatte, angekommen? 2. Wo befand sich die Wohnung? 3. Was tat er mit dem Päckchen, das er aus der Tasche nahm? 4. Was hatte er getan, nachdem er das Auto abgeliefert hatte? 5. Was glaubte er bestimmt? 6. Auf wen warteten sie wahrscheinlich? 7. Was tat er, nachdem er das Fenster geöffnet hatte? 8. Wen bemerkte er nach einiger Zeit? 9. Was sah er durch, nachdem er das Fenster geschlossen hatte? 10. Was tat Frau Külz im Laden? 11. Warum hatte Herr Külz sie nicht mitgenommen? 12. Wer erschien plötzlich, als Frau Külz sich mit einer Kundin unterhielt? 13. Wohin trat Herr Külz, nachdem die Kundin gegangen war? 14. Wo saß seine Frau? 15. Was hatte Herr Külz ihr von der Reise mitgebracht? 16. Was wäre ihr lieber gewesen? 17. Wie viele Personen kamen in Herrn Seilers Wohnung? 18. Was tat Herr Seiler, nachdem die Männer in das Hinterzimmer gegangen waren? 19. Wem gab er die Schlüssel zu seiner Wohnung? 20. Was tat Fräulein Trübner, als Herr Steinhövel in die Bibliothek trat? 21. Was mußte sie ihm schließlich erzählen? 22. Wo saß Herr Seiler inzwischen? 23. Was tat er dort? 24. Was erzählte ihm Herr Struve? 25. Was geschah auf der anderen Straßenseite?

Sechzehntes Kapitel

1. Weshalb war ein Kellner über die Straße gerannt?
2. Was tat Herr Struve, als der Kellner zurückkam?
3. Wohin ging der Kellner? 4. Warum kam er sofort wieder heraus? 5. Was tat Herr Seiler mit dem Brief? 6. Wer hatte den Brief abgegeben? 7. Wen sah Seiler plötzlich im Taxi? 8. Was sollte Herr Struve tun? 9. Was wollte ihm dann Herr Seiler erzählen? 10. Warum flüsterte Seiler seinem Freunde etwas ins Ohr? 11. Was tat Herr Struve dann? 12. Was tat Herr Seiler? 13. Welche Nachricht wurde Herrn Steinhövel telephoniert? 14. Wer betrat das Geschäft, nachdem Herr Külz es verlassen hatte? 15. Was wollte der Herr? 16. Was antwortete Frau Külz? 17. Was riet sie dann? 18. Warum wollte der junge Mann Herrn Külz nicht anrufen? 19. Wann wollte er noch einmal vorbeikommen? 20. Wie lange konnte der junge Mann warten? 21. Warum hatte Frau Külz einen Kuchen gebacken? 22. Was tat sie, als die Ladenglocke läutete? 23. Wie viele Männer standen an den Wänden in dem Zimmer des Kommissars? 24. Was überreichte der Kommissar Herrn Steinhövel später? 25. Was war in dem Päckchen?

Siebzehntes Kapitel

1. Wer fand zuerst die Sprache wieder? 2. Was hatte Fräulein Trübner mit der zweiten Miniatur getan? 3. Wo befand sie sich augenblicklich? 4. Wie waren die anderen, als sie das hörten? 5. Was sollte Herr Külz tun? 6. Wen wollte der Kommissar zu Frau Külz schicken? 7. Was war mit der zweiten Miniatur geschehen? 8. Wer war da ge=

wesen? 9. Was wollte der junge Mann? 10. Warum hatte Frau Külz die Ladenstube verlassen? 11. Wann hatte sie gemerkt, daß die Miniatur verschwunden war? 12. Was tat der Kommissar mit seinem Bleistift? 13. Warum tat er das? 14. Was mußte der junge Mann gemerkt haben? 15. Wie lange fuhr Herr Struve schon hinter dem glattrasierten Herrn her? 16. Was bemerkte der Chauffeur in dem ersten Wagen? 17. Was tat Herr Struve mit einem Bogen Papier? 18. Was schrieb er auf jeden Zettel? 19. Was tat er, wenn er einen Verkehrspolizisten passierte? 20. Warum fuhr der erste Chauffeur an dem roten Licht vorbei? 21. Was tat der Fahrgast, als das erste Taxi hielt? 22. Was tat Rudi Struve? 23. Was wurde für Herrn Steinhövel auf dem Polizeipräsidium abgegeben? 24. Was tat Herr Steinhövel? 25. Von wem war der Brief wahrscheinlich?

Achtzehntes Kapitel

1. Vor was für einem Gebäude hielt das Polizei-Auto? 2. Wohin sollte der Portier die Besucher bringen? 3. Wie sah Herr Kühlewein aus? 4. Warum freute er sich so sehr? 5. Worauf drückte er? 6. Was tat dann ein Angestellter? 7. Was sollte der Angestellte tun? 8. Was fand Herr Steinhövel in dem Päckchen? 9. Seit wann war das Päckchen in dem Tresor? 10. Was tat der junge Mann, der später in das Zimmer trat? 11. Was hatte Herr Külz gleich gesagt? 12. Warum war Herr Seiler nach dem Fleischerladen gegangen? 13. Was hatte er in Warnemünde getan, als das Licht erlosch? 14. Was hatte er mit der echten Miniatur getan? 15. Welche Miniatur hatte er gestohlen? 16. Was mußten nun alle glauben? 17. An wen verlor die Bande jetzt Interesse? 18. Wen verfolgte sie von jetzt an?

19. Was hatte er im Café erhalten? 20. Warum hatte er die echte Miniatur aus der Ladenstube gestohlen? 21. Was tat Herr Steinhövel, als der Kommissar seinen Bericht beendet hatte? 22. Wozu beglückwünschte er den jungen Mann? 23. Wie hoch war die Belohnung? 24. Was hatte der junge Mann noch nicht gelesen? 25. Was kann man immer brauchen?

Neunzehntes Kapitel

1. Was wußte Herr Kühlewein noch immer nicht? 2. Was hielt er für unmoralisch? 3. Worum bat der junge Herr den Generaldirektor? 4. Was tat er dann? 5. Was tat Herr Külz? 6. Wieviel Geld hatte die Versicherungsgesellschaft gespart? 7. Wohin führte Herr Külz den jungen Mann zurück? 8. Was mußte er annehmen, ob er wollte oder nicht? 9. Was reichte Herr Steinhövel dem jungen Mann? 10. Wofür wollte er auch bezahlen? 11. Wer sollte Herrn Struve helfen, die neuen Möbel zu kaufen? 12. Wer trat jetzt ein? 13. Wen brachten einige Polizisten ins Zimmer? 14. Wer folgte hinter den Beamten? 15. Was hatte der elegant gekleidete Herr nicht mehr? 16. Wie nannte er sich? 17. Was war sein wirklicher Name? 18. Was hatte Seiler seinem Freunde versprochen? 19. Warum hatte Seiler sich des Namens Struve bedient? 20. Wonach hatte Herr Steinhövel telephonieren lassen? 21. Was fragte Seiler Fräulein Trübner? 22. Wann wollte Fräulein Trübner in Seilers Wohnung kommen? 23. Was drohte Seiler zu tun, wenn sie käme? 24. Was konnte diese Drohung nur gewesen sein? 25. Wie sah Fräulein Trübner aus, als sie das Gebäude verließ?

VOCABULARY

The vocabulary aims to be complete except for the articles, numerals, pronouns, possessives, days of the week, months, and obvious cognates. Since adjectives and adverbs are identical, adverbial meanings are not generally given. The nominative plural of nouns and the Ablaut-vowels of strong verbs are indicated. Separable verbs are marked by a hyphen (ab=biegen), and verbs requiring fein as an auxiliary are followed by (f.). Words of the same group have been combined wherever possible.

A

ab off, away; auf und ab back and forth

ab=biegen, o, o (f.) turn off

ab=brechen, a, o break off

das Abendbrot supper

das Abenteuer, —, adventure; abenteuerlich adventurous

aber but, however

abergläubisch superstitious

ab=führen lead away, take out

ab=geben, a, e deliver, make

ab=heben, o, o take off, pick up

ab=holen call for

ab=laden, u, a unload, dump

ab=lehnen decline, refuse

ab=lenken divert

ab=leuchten illuminate

ab=liefern deliver, leave

ab=nehmen, a, o take off, take away from, pick up

ab=räumen clear (the table)

ab=reisen (f.) depart; die Abreise departure

ab=reißen, i, i tear off

ab=rücken move away

der Absatz, ⸗e heel

ab=schaffen do away with, abolish

abscheu'lich abominable, horrible

der Abschied, -e departure, farewell

ab=schließen, o, o lock up, close, conclude; der Abschluß closing, settlement, arrangement

die Absicht, -en intention

ab=sperren lock, barricade

ab=stehen, stand ab, abgestanden stand off; stick out, project

ab=steigen, ie, ie (f.) get off, put up; register, arrive

ab=suchen search (all over)

das Abteil, -e compartment; das Abteilfenster compartment window

der Abteilungschef, -s head of a department

ab=warten wait for, wait and see; abwartend expectantly

ab=wehren ward off, refuse, wave aside; abwehrend in protest

die Abwesenheit, -en absence

ab=winken warn off by a nod, wave aside

die Achsel, -n shoulder; die Achseln zucken shrug the shoulders

achten (auf) heed, pay attention
to, watch, respect, see to it;
die Achtung respect; Achtung!
attention! look out!

die Adres'se, -n address; das
Adreß'buch city directory;
adressieren address

ahnen have a presentiment of,
suspect; die Ahnung fore-
boding, idea

ähnlich similar; ähnlich sehen
look like, resemble

der Alarm: Alarm klingeln ring
violently; alarmieren notify,
call

der Alex = der Alexanderplatz
*location of police head-
quarters in Berlin*

der Alkoholgenuß partaking of
alcoholic liquor

all all; alles andre anyone else;
alledem all that

die Allee', -n avenue

allein' alone

allenfalls in any event, in case
of need

allerdings' to be sure

allerlei all kinds of

allgemein' general

allmäch'tig almighty; Allmächtiger! good heavens!

allzu all too, too

als as, when, than, but

also therefore, so, accordingly

alt old, former; die Alte old
woman; wife

altertümlich ancient, old-
fashioned

an=bieten, o, o offer

an=blicken look at; der Anblick
look, view, sight

an=bringen, brachte an, angebracht
fasten, attach, put up

das Andenken, —, remembrance,
souvenir

ander other, different; zum
andern in the second place;
anders different, else; an-
derswo elsewhere; andrerseits
on the other hand

ändern change

anderthalb one and a half

aneinander on one another

an=fangen, i, a begin, do

an=fragen inquire

sich an=freunden get acquainted
with, become friends with

an=führen lead; der Anführer
leader

die Angabe, -n statement, testi-
mony, information

an=gehen, ging an, angegangen
concern

der Angehörige, -n member of a
family, relative

die Angelegenheit, -en affair

angenehm agreeable, pleasant

angespannt tense, attentive

der Angestellte, -n employee

der Angriff, -e attack

die Angst, ⸚e fear; Angst haben be
afraid; ängstlich anxious, uneasy

an=haben, hatte an, angehabt have
on, wear

an=halten, ie, a stop

an=kommen, a, o (f.) arrive

die Ankunft, ⸚e arrival

an=läuten call up, telephone to

an=melden announce, ask for,
put in

an=merken observe, notice

an=nehmen, a, o accept; assume

an=ordnen arrange, give orders

an=rufen, ie, u call up

an=schauen look at

ſich an=ſchließen, o, o join

an=ſchwindeln deceive

an=ſehen, a, e look at, tell by looking at, see, consider; mit anſehen let pass

die Anſichtskarte, –n picture postcard

die Anſpielung, –en allusion

an=ſprechen, a, o speak to

die Anſtalt, –en institution, preparation, arrangement, attempt, effort

anſtändig respectable, decent

an=ſtarren stare at

an=ſtieren stare at

an=ſtimmen strike up, begin to sing

an=ſtoßen, ie, o nudge, knock against; clink glasses

anſtrengend fatiguing, strenuous

antik' antique

das Antiquitä'tengeſchäft, –e antique shop

an=treten, a, e begin, start

an=tun tat an, angetan do to

die Anweiſung, –en instruction

anweſend present

an=ziehen, zog an, angezogen put on, dress; ſich anziehen get dressed; der Anzug suit (of clothes)

an=zünden light

apart' clever

der Apparat', –e telephone, apparatus

arbeiten work; das Arbeits= zimmer workroom, office, study

ſich ärgern be peeved, vexed, annoyed; der Ärger vexation, anger, trouble; ärgerlich vexed, angry, annoyed

arm poor

der Arm, –e arm; die Armband= uhr wrist watch

der Ärmel, —, sleeve

der Arzt, ⸚e doctor, physician

der Aſchenbecher, —, ash tray

atmen breathe; der Atem breath; die Atempauſe breathing space

auch also, too, either, even; wenn auch éven if

auf on, upon, at, in, to, for

auf=atmen breathe a sigh of relief

auf=blicken look up

auf=brechen, a, o (ſ.) start, depart

auf=fallen, ie, a (ſ.) notice, strike, attract attention; auf= fällig noticeable, strange

auf=faſſen consider, look upon, take

auf=fordern call upon, request

auf=friſchen freshen up, refresh

auf=geben, a, e give up; die Aufgabe task, problem

auf=gehen, ging auf, aufgegangen (ſ.) rise; open

aufgeregt excited

auf=halten, ie, a hold up, stop; ſich aufhalten stop, stay, linger, hang around

auf=hängen hang up, hang

auf=heben, o, o pick up, raise

auf=hören stop, cease

auf=klappen open (with a clapping noise)

auf=kommen, a, o (ſ.) pay for

auf=lachen burst out laughing

der Auflauf, ⸚e gathering crowd

auf=legen put, lay on, put down

auf=leuchten light up

auf=machen open

aufmerkſam attentive; aufmerk=

sam machen (auf) call attention (to)

auf=paſſen pay attention, watch, look out

ſich auf=raffen pull oneself together

auf=reißen, i, i fling open, open wide, open

auf=ſchließen, o, o unlock

der Aufſchnitt, –e cold cuts, cold meat, sausage, cheese, *etc.*

auf=ſchnüren untie

auf=ſehen, a, e look up

auf=ſetzen put on; ſich auf=ſetzen sit up

auf=ſperren unlock, open wide

auf=ſpringen, a, u (ſ.) jump up

auf=ſtampfen stamp

auf=ſtehen, ſtand auf, aufgeſtanden (ſ.) get up

auf=ſuchen look up, visit

der Auftrag, ⸚e order, instruction, behalf

auf=treiben, ie, ie procure, get hold of

auf=treten, a, e (ſ.) appear, stand up, try on

die Aufwartefrau, –en part-time maid   [tion, list

die Aufzählung, –en enumera-

auf=ziehen, zog auf, aufgezogen wind up

das Auge, –n eye; der Augenblick moment; augenblicklich at the moment, immediately; die Augenbraue eyebrow

der Auktiona'tor, –en auctioneer

aus out, out of, from, of

aus=beißen, i, i bite out

aus=bleiben, ie, ie (ſ.) stay away, fail to appear, be out

aus=drücken express; ausdrucksvoll expressive

auseinander=falten unfold

die Ausfallſtraße, –n main road leaving city

aus=führen export

ausführ'lich detailed, in detail

aus=gehen, ging aus, ausgegangen (ſ.) go out; der Ausgang exit

ausgelaſſen unrestrained, boisterous

ausgeſchloſſen impossible, out of the question

ausgeſchnitten décolleté

ausgezeichnet excellent

aus=halten, ie, a endure, stand

aus=händigen hand over, deliver

aus=horchen sound out

aus=lachen laugh at

die Auslage, –n exhibit, display

aus=liefern hand over, deliver into one's hands

aus=machen put out; matter

die Ausnahme, –n exception

aus=rechnen figure out

die Ausrede, –n excuse

aus=richten deliver a message, tell; accomplish

aus=rufen, ie, u exclaim

aus=ruhen rest

aus=ſagen depose, state

aus=ſchlafen, ie, a sleep one's fill, get a good sleep

ausſchließ'lich exclusive

aus=ſehen, a, e look, appear

der Außenhandel foreign trade

außer outside of; unless, except; außer Frage out of the question; außer ſich beside oneself; außerdem besides, moreover; außergewöhnlich unusual, extraordinary; außerordentlich unusual, extraordinary, exceptional aus=fetzen offer

aus=fprechen, a, o express

aus=fteigen, ie, ie (f.) get out

aus=ftellen exhibit, put out, post; die Ausstellung exhibition

aus=ftreden stretch out

aus=taufchen exchange, trade

aus=trinfen, a, u empty, drain

die Ausübung, –en performance

der Ausweg, –e way out, solution

aus=weichen, i, i (f.) make way for

aus=widelu unwrap

die Autonummer, –n automobile number, license number

B

die Bade, –n cheek

baden, buf, gebaden bake

baden bathe; das Badezimmer bathroom

der Bahnhof, "e railroad station; die Bahnhofswirtfchaft station restaurant; die Bahnpolizei railroad police; der Bahnfteig station platform

ballen clench

die Bande, –n band, gang; der Bandendef leader of the gang

die Bank, "e bench, seat

der Banftrefor', –e safe, vault

bar cash

der Bart, "e beard; bartlos beardless

der Baumftumpf, "e stump

der Beamte, –n official, officer, policeman

bearbeiten work on, handle

beauftragen order, commission, instruct

beaugenfdeinigen search, inspect

bedächtig cautious, deliberate, thoughtful

fich bedanfen express thanks

bedauern pity, be sorry for, regret

bededen cover

bedeuten signify, mean; bedeutfam significant; die Bedeutung significance

bedienen serve, wait on; fich bedienen help oneself, make use of

beehren do the honor

fich beeilen hasten, hurry

beenden bring to an end, end

die Beerdigung, –en funeral

befehlen, a, o order, command; der Befehl order, command

befeftigen fasten

fich befinden, a, u be

befriedigen satisfy

befürchten fear

fich begeben, a, e betake oneself, go, set out, expose oneself

begegnen (f.) meet; die Begegnung meeting

begehen, beging, begangen commit

begehren desire

begeiftert enthusiastic

begierig desirous, anxious

beginnen, a, o begin, start

begleiten accompany, escort; der Begleiter escort

beglüdwünfchen congratulate

begreifen, i, i comprehend, understand, realize

begrüßen greet, welcome

behaglich comfortable

behalten ie, a keep, retain; recht behalten prove to be right, carry one's point behandeln treat

behaupten maintain, assert, claim, say; die Behauptung assertion

behelligen bother, molest

behilflich helpful; behilflich fein help, assist

behüten guard, watch over, protect; behüte! God forbid! out of the question

bei by, at, near, with, at the house of, of, in

beide both, the two; alle beide both of them

der Beifall approval, applause

das Beileid condolence, sympathy

das Bein, —e leg; ein Bein über das andere schlagen cross one's legs

beina'he almost, nearly

beisam'men together

beisei'te aside; beiseite=legen lay aside; beiseite=schieben shove aside, push aside

das Beispiel, —e example; zum Beispiel for example

beißen, i, i bite

der Beiwagenfahrer, —, person in the sidecar of a motorcycle

bekannt (well) known; der Be= kannte acquaintance; die Be= kanntschaft acquaintance

bekleiden clothe, dress

bekommen, a, o receive, get, have

beladen, u, a load

die Belagerungsarmee', —n besieging army

beläſtigen annoy, bother, molest

belauschen listen to, play the spy on, overhear

sich beleben become animated, stir

beleidigen offend, insult

belobigen praise, commend

die Belohnung, —en reward

belügen deceive by lying

beluſtigt amused

bemerken observe, remark, notice; die Bemerkung remark; bemerkbar noticeable

sich bemühen make an effort, endeavor; bemüht fein try hard, struggle, endeavor

benachrichtigen inform, notify

sich benehmen, a, o act, behave

benutzen use, make use of

beobachten observe, watch

berauben rob

bereit ready; sich bereit=halten hold oneself in readiness; bereits already; die Bereit= schaft readiness; bereitwillig ready, willing

bereuen regret

berichten report; der Bericht report

der Bernhardiner, —, St. Bernard (dog)

der Beruf, —e calling, vocation, profession; beruflich professional

sich beruhigen calm oneself, compose oneself

berühmt famous

besagt aforesaid

die Beschaffung providing, procuring

beschäftigen occupy

der Bescheid knowledge, information; Bescheid wiſſen have knowledge, be informed, know

bescheiden modest

beschimpfen insult, revile

beschließen, o, o decide, resolve

beschreiben, ie, ie describe

besehen, a, e look at, examine

besetzen occupy; guard; besetzt full, taken

sich besinnen, a, o remember, reflect, think over

besitzen, besaß, besessen possess, have

besoffen drunk

besonder particular, especial; besonders especially, particularly

besorgen procure, attend to, get, buy

besorgt worried, concerned

besprechen, a, o talk about, discuss

bestätigen confirm

bestehen, bestand, bestanden (auf) insist on, go through, have

bestehlen, a, o rob

bestellen order

bestimmen determine, decide, designate; bestimmt definite, positive, certain, sure

besuchen visit; der Besucher visitor

die Beteiligten the parties concerned

betonen emphasize

betrachten look at, regard

betreffen, a, o have to do with, concern, affect; was ... betrifft concerning ...

betreten, a, e enter

betrügen, o, o cheat, deceive, defraud

betrunken drunk

das Bett, -en bed

sich beugen bow down; turn to

die Beule, -n bump, swelling

die Bevölkerung, -en population

bevor before

bewachen watch, guard

bewegen move; die Bewegung motion; sich in Bewegung setzen move, set out, start

der Bewohner, —, inhabitant, occupant, tenant

die Bewunderung admiration

bewußtlos unconscious

bezahlen pay

bezeichnen designate

die Bibliothek', -en library

die Biegung, -en bend, curve

das Bier, -e beer

das Bild, -er picture; bildhübsch extremely pretty

das Billet', -e or -s ticket

billig cheap

bis to, as far as, until

bisher hitherto, up to now

ein bißchen a little

bitten, a, e beg, ask; bitte (schön) please; bitte sehr don't mention it; die Bitte request

bitter bitter

blasen, ie, a blow

blaß pale, faint, indistinct

das Blatt, ⸚er (news)paper

blättern turn over the pages, look through

blechern (of) tin

bleiben, ie, ie (s.) remain, stay, stick to; bleibend permanent

bleich pale

der Bleistift, -e lead pencil

blicken look, glance; der Blick look, glance

blitzen lighten, flash; der Blitz lightning

der Blockbuchstabe, -n block letter

blond blond

bloß only, merely

das Blut blood; **blutrot** fiery red

der Boden, — or ⸚, floor

der Bogen, — or ⸚, sheet (of paper), letter

der Bordstuhl, ⸚e deck chair

böse bad, angry

boshaft malicious, spiteful

der Bote, –n messenger

der Braten, —, roast

brauchen use, need

die Braue, –n eyebrow

braun brown

brav good, fine, worthy

brechen, a, o break

(die) **Bredgade** *street in Copenhagen*

breit broad, wide, stout; **breitbeinig** straddle-legged, with legs apart; **breiten** spread

bremsen brake, put on the brakes

brennen, brannte, gebrannt burn, be turned on

das Brett, –er board

der Brief, –e letter; **der Briefbogen** piece of writing paper, letter; **der Briefkasten** mailbox; **die Briefmarke** stamp; **die Brieftasche** pocketbook, wallet; **der Briefumschlag** envelope

die Brille, –n spectacles, glasses

bringen, brachte, gebracht bring, take, put, accompany

der Bruchteil, –e fraction

der Bruder, ⸚, brother, fellow

brüllen roar, shout, yell

brummen mumble, grumble

Brüssel Brussels

die Brust, ⸚e breast, chest; **die Brusttasche** inside coat-pocket

die Buchführung bookkeeping

der Buchstabe, –n letter of the alphabet

sich bücken bend down

das Büfett' buffet, bar, lunch; **das Büfett'fräulein** barmaid

der Bühnenausgang, ⸚e stage door

bullig like a bull, big, strong

das Bündel, —, bundle

bunt colored; upset

das Büro', –s office

der Bürokrat', –en bureaucrat

der Bursche, –n fellow

buschig bushy

C

der Chef, –s chief, head, leader

das Coupé, –s compartment; **die Coupétür** door of the compartment

D

da there, here, then, as, since

dabei' at that, at the same time, while doing this, yet, present

dadurch through that, through the fact

dafür for that, in return for, on the other hand

dage'gen against it, on the other hand; **dagegen haben** object, have objections

daheim' at home

dahin to that place; then

dahin'ter-stecken be behind that

die Dame, –n lady

damit with it, so that, in order that

der Dampfer, —, steamer

danach after that, for it

der Däne, –n Dane; dänisch Danish

dane'ben beside it; dane'ben=greifen miss (the glass)

danken thank; danke (schön) thanks (very much); der Dank gratitude; dankbar thankful, grateful

dann then

darauf' thereupon, then; on it

darü'ber over it, at that; dar=ü'ber=breiten spread over

darum therefore, for it

daß that

dauern take, last

der Daumen, —, thumb

davon' thereof, of it, away; davon=fahren (f.) drive away; davon=kommen (f.) get away

davor before it; against it

dazu' to that, besides

dazwi'schen in between, between them

das Delikates'sengeschäft, –e delicatessen store

das Delikt', –e crime

der Delinquent', –en delinquent, offender, criminal

denken, dachte, gedacht think; denkbar conceivable

denn for, since; (often not to be translated)

deponieren deposit

derartig of such a kind

derselbe the same

deshalb therefore, for that reason, on that account

deswegen on that account, for that reason

deutsch German

dicht close

dick thick, stout

der Dieb, –e thief; die Diebs=bande gang of thieves; der Diebstahl theft, robbery

die Diele, –n vestibule, hall

dienen serve; das Dienstmädchen servant girl, maid

diesmal this time

das Ding, –e or –er thing

die Direktion' management

der Dirigent', –en conductor, leader, bandmaster

doch but, yet, however, after all, surely; (after a negative) yes, indeed

der Donner thunder; Donner=wetter (noch einmal)! confound it! good heavens!

der Doppelgänger, —, double

doppelt double, twice

das Dorf, ⸗er village; dörflich rustic, peasantlike

dort there; dorthin there, to that place, in that direction; dortig of that place, there

drängen press, urge, crowd

drauflos'=fahren, u, a (f.) drive fast and recklessly

draußen outside

drehen (an) turn (to); sich drehen turn

dreißigjährig thirty years (old), thirtieth

drin = darin in it, in there, inside; drin=liegen lie in it

dringend urgent

drohen threaten; die Drohung threat

drüben there, over there

drücken press

drum = darum therefore, that's why

drunten = darunten down there

drunter = darunter under it

dumm stupid, silly; die Dumm=
heit stupidity

dumpf dull, apathetic, muffled

dunkel dark, obscure, shady

durch through, by, by means of

durcheinander through one another, confused, muddled

durcheinander=ſchreien, ie, ie
shout in confusion

durch=führen carry out

durch=geben, a, e send on, report

durch=gehen, ging durch, durchge=
gangen (ſ.) go through

durchſchrei'ten, i, i walk through,
stride through

durch=ſehen, a, e look through

durchſu'chen search (through)

dürfen, durfte, gedurft be per-
mitted, may

der Durſt thirst; Durſt haben
be thirsty

das Dutzend, –e dozen

E

eben just, simply, exactly; eben
dieſer the very one; eben erſt
only just; ebenfalls likewise;
ebenſo just as

echt genuine

die Ecke, –n corner

der Edelmann (pl. Edelleute)
nobleman

der Edelſtein, –e precious stone,
jewel

egal' all one, the same

ehe before; ehemalig former;
ehemals formerly; eher
sooner, rather

das Ehepaar, –e married couple

ehren honor; ehrbar honorable;
der Ehrenmann man of honor;
ehrlich honest, genuine

eiferſüchtig jealous

eigen own

eigentlich really, in reality, anyway, in a way

ſich eignen be suitable

eilen hurry, hasten; eilends
hastily, at once; eilig quick,
speedy, hurried

einan'der one another

ein=brechen, a, o (ſ.) break in,
commit burglary; der Ein=
brecher burglar; die Ein=
brecherbande gang of thieves;
einbruchsſicher burglarproof

der Eindruck, ⸗e impression

einfach simple; simply

ein=fallen, ie, a (ſ.) occur to;
interrupt, interpose, join in;
der Einfall (sudden) idea

ein=flößen instil, pour in

einflußreich influential

der Eingang, ⸗e entrance

eingehend in detail

ein=greifen, i, i interfere, inter-
vene, interrupt

ein=hängen hang up

ein=holen overtake

einig some; pl. several, a few

ein=kaufen buy, go shopping

ein=laden, u, a invite

ein=leiten introduce, start, take

einmal once, sometime, just;
nicht einmal not even

ſich ein=miſchen meddle with,
interfere, intrude, butt in

ein=reden (auf jemand) persuade
(one) to, talk seriously to,
make (one) think

ein=richten arrange, furnish

einſam lonely, solitary

ein=ſchlafen, ie, a (ſ.) fall asleep

ein=ſchließen, o, o lock up

ein=ſehen, a, e realize

ein=ſperren lock up

einft once upon a time

ein=ſtecken put in, pocket

ein=ſteigen, ie, ie (ſ.) get in, board

ein=treffen, a, o (ſ.) arrive

ein=treten, a, e (ſ.) step in, enter; occur, ensue

einverſtanden agreed

ein=wenden, wandte ein, einge= wandt object, raise an objec- tion; der Einwand objection

ein=wickeln wrap up

der Einwohner, —, inhabitant

einzeln single, separate, indi- vidual, lone

einzig only, sole, single

das Eiſenbahnabteil, –e com- partment; das Eiſenbahn= coupé compartment; der Ei= ſenbahnwagen railroad car

elegant' elegant, fashionable, ornate

elektriſieren electrify

der Ellbogen, —, elbow

empfangen, i, a receive; der Empfang reception; in Emp= fang nehmen receive, take; der Empfängerraum recep- tion room; der Empfangs= raum reception room

ſich empfehlen, a, o bid one good-by

empfinden, a, u feel; das Emp= finden feeling; empfindſam sensitive, sentimental

empor'=blicken look up, glance up

empört' indignant

enden end; das Ende end; end= lich finally

ener'giſch energetic, vigorous, firm

eng narrow, close

die Engländerin, –nen English woman

der Enkel, —, grandson

enorm' enormous, very

entdecken discover

ſich entfernen leave, go away; entfernt distant, far away; die Entfernung distance

entfliehen, o, o (ſ.) escape, run away

entgegen against, towards

entgegen=blicken look towards

entgegengeſetzt opposite

entgegen=halten, ie, a hold out to

entgegen=kommen, a, o (ſ.) come towards, walk towards

entgegen=nehmen, a, o receive, accept

entgegen=ſtrecken stretch out to- wards, hold out to

entgegnen reply

enthalten, ie, a contain

entheben, o, o relieve

entlang along

die Entlaſſung, –en dismissal, discharge

entrüſtet indignant, enraged

entſcheiden, ie, ie decide; ent= ſchieden decidedly

entſchloſſen resolved, deter- mined

entſchuldigen excuse, pardon; die Entſchuldigung excuse; um Entſchuldigung bitten apolo- gize, beg pardon

entſetzt horrified; entſetzlich horrible, terrible

entſichern uncock (*a pistol*)

entſtehen, entſtand, entſtanden (ſ.) arise, originate, be formed

enttäuſcht disappointed

entwenden remove, purloin, pil- fer, steal

erbauen build up, erect, edify

erblicken catch sight of

das Erdbeben, —, earthquake
das Erdgeſchoß, -e ground floor
erfahren, u, a experience, learn, find out
erfinden, a, u invent
der Erfolg, -e success
erfüllen fill, fulfil; die Erfüllung fulfilment; in Erfüllung gehen be fulfilled
ergänzen complete, supplement, add
ergeben devoted, resigned, docile
ergreifen, i, i seize, pick up, take; das Wort ergreifen speak up
erhalten, ie, a receive
erheben, o, o raise up; ſich erheben rise, get up
erinnern remind; ſich erinnern remember; die Erinnerung remembrance, souvenir
erkennen, erkannte, erkannt recognize
erklären declare, explain; die Erklärung declaration, explanation
erklingen, a, u (ſ.) resound
ſich erkundigen inquire
erlauben allow, permit; die Erlaubnis permission
erleben experience, witness, live to see; das Erlebnis experience
erledigen dispose of, settle, do
erlegen slay, kill
erleichtern relieve
erlöſchen extinguish, be extinguished, go out
ernſt earnest, serious; ernſtlich earnest, in earnest; der Ernſt earnestness, gravity, seriousness

erraten, ie, a guess; past part. right you are
erregt excited
erreichen reach, attain, accomplish
erſcheinen, ie, ie (ſ.) appear; be published
erſchöpft exhausted
erſchrecken frighten; erſchreckend alarming
erſchrecken, a, o (ſ.) be frightened, startled
erſetzen replace, compensate
erſt first, only, not until; erſtens firstly, in the first place; erſtklaſſig first-class
erſtaunt astonished
erſteigen, ie, ie climb, mount
erſuchen request
ertappen catch in the act, find
erteilen give, confer, bestow
erwachen awake, wake up
erwachſen, u, a (ſ.) grow up, arise
erwähnen mention
erwarten await, wait for; erwartungsvoll expectantly
erweiſen, ie, ie show, render, do
erwerben, a, o acquire, purchase
erwidern reply
erwiſchen catch, surprise, get hold of
erwünſcht desirable
erwürgen strangle, slaughter
erzählen tell, relate; die Erzählung narrative, account
der Erzengel, —, archangel
der Eſel, —, donkey, ass, fool
eſſen, aß, gegeſſen eat; das Eſſen food
etliche several, some, a few
das Etui', -s case
etwa nearly, about, perhaps

etwas something, somewhat

eventuell' eventual, possible;
die Eventualität' possibility

ewig eternal, for ages; die
Ewigkeit eternity

die Existenz', –en existence;
person, character

F

fabelhaft fabulous

fähig capable

die Fähre, –n ferry

fahren, u, a (f.) go (in any sort
of conveyance), ride, travel,
drive; sich fahren (durch, über)
pass one's hand (through,
over); der Fahrgast passenger, occupant; das Fahrrad
bicycle; der Fahrschein ticket;
der Fahrstuhl elevator; die
Fahrt trip, journey, ride

faktisch actual

der Fall, ⸚e case; auf jeden Fall
in any case; falls in case

die Falle, –n trap

fallen, ie, a (f.) fall

falsch false, wrong, spurious

falten fold; faltig wrinkled

die Fami'lie, –n family; das
Fami'lienphoto family photo-
graph

famos' splendid, excellent

fangen, i, a catch

fassen seize, grasp; sich fassen
regain one's composure

fast almost

die Faust, ⸚e fist, hand

fehlen be absent, be missing,
be the matter, be wrong

die Feier, –n celebration; feier=
lich solemn

fein fine, nice

feindselig hostile

das Feld, –er field

das Fenster, —, window; der
Fensterplatz seat next to the
window; die Fensterscheibe
windowpane, window

fern far, distant; von fern from
afar; ferner furthermore;
das Ferngespräch long-dis-
tance conversation

fertig finished; fertig=machen
finish, fix

fesseln fetter, chain, handcuff

fest fast, firm; fest=halten hold
fast; fest=nehmen arrest

das Feuer, —, fire; Feuer geben
give a light; feuerrot fiery
red; feurig fiery

der Feuerwehrmann, ⸚er or —=
leute member of the fire department

fidel' merry, jolly

finden, a, u find, discover

der Finger, —, finger

finster dark

die Firma (pl. Firmen) firm,
gang

flach flat; flache Hand palm of
the hand

die Flamme, –n flame; sweet-
heart

die Flasche, –n bottle

der Fleck, –en spot, place

das Fleisch meat; der Fleischer
butcher; die Fleischerei meat
shop; der Fleischermeister
master butcher; die Flei=
schersfrau butcher's wife;
die Fleischerzeitung butcher's
journal; der Fleischsalat meat
salad (raw chopped meat sea-
soned with onions, oil, and vin-
egar); die Fleischwaren meat

fleißig diligent, industrious

fliegen, o, o (f.) fly

fliehen, o, o (f.) flee

fluchen curse

die Flucht flight; der Flüchtling fugitive

flüstern whisper

die Flut, –en flood

folgen (f.) follow; die Folge sequence, succession, series, consequence; folgendermaßen as follows, in the following manner

fordern demand

fort away, gone; in einem fort constantly, continually

fort=fahren, u, a (f.) drive away, ride away, go away; continue

fort=gehen, ging fort, fortgegangen (f.) go away; der Fortgang continuation

fort=kommen, a, o (f.) get away

fort=laufen, ie, au (f.) run away

fort=setzen continue

fragen ask; die Frage question; fraglos unquestionably

die Frau, –en woman; das Frauenzimmer woman; das Fräulein young lady, Miss

frech insolent; die Frechheit insolence, impudence

frei free, vacant; die Freiheit freedom, liberty

freilich to be sure

fremd strange, foreign; der Fremde stranger; das Fremdwort foreign word

freuen please; sich freuen be pleased, be glad; die Freude joy

der Freund, –e friend; die Freundin friend (fem.);

freundlich friendly, kind; freundlicherweise kindly

der Friede peace; der Friedhof cemetery; friedlich peaceful

frieren freeze; mich friert I am cold

frischgestärkt freshly starched

froh glad, happy

früh early; morning

fühlen feel

führen lead

der Führerschein, –e driver's license

füllen fill

das Fundament', –e foundation

die Fünfzehnpfennigmarke, –n fifteen pfennig stamp

der Funke, –n spark

für for; für sich in its favor

furchtbar fearful, terrible

fürchten fear

der Fuß, ⁓e foot; der Fußschemel footstool

G

die Gabel, –n fork

gähnen yawn

der Gang, ⁓e hall, corridor; die Gang=Ecke corner seat next to the corridor

die Gangart, –en manner of walking, gait, pace

ganz whole, entire, quite, just

gar nicht not at all, not even; gar nichts nothing at all

die Garderobe, –n wardrobe, cloakroom; der Garderobeständer clothes stand or rack

der Gast, ⁓e guest

der Gatte, –n husband, spouse; die Gattin wife

der Gauner, —, rogue, swindler, thief

das Gebäude, —, building
geben, a, e give; es gibt there
   is, they have, there will be
der Geburtstag, -e birthday
das Gedächtnis, -(ff)e memory;
   die Gedächtniskirche Memorial
   Church (well-known church
   in Berlin's west end)
der Gedanke, -n thought, idea
die Geduld patience; geduldig
   patient
die Gefahr, -en danger; gefähr=
   lich dangerous; die Gefähr=
   lichkeit dangerousness, danger
der Gefallen, —, favor; ge=
   fälligst please, I beg, pray
der Gefangene, -n prisoner
gefaßt composed, prepared
das Gefühl, -e feeling
gegebenenfalls if occasion arises
gegen against, toward, com-
   pared with, about, for
die Gegend, -en region, neighborhood
der Gegenstand, -e object
gegenü'ber opposite, toward
die Gegenwart present time
das Geheimnis, -(ff)e secret;
   geheimnisvoll mysterious
gehen, ging, gegangen (f.) go;
   get; vor fich gehen happen
gehören (zu) belong to, be one
   of, be part of
der Geiger, —, violinist
gekränkt offended, hurt
das Gelächter laughter
gelähmt paralyzed
das Geld, -er money; der Geld=
   beutel moneybag, purse; der
   Geldschein bank note, bill
die Gelegenheit, -en opportu-
   nity, occasion

der Gelehrte, -n scholar, professor
gelingen, a, u (f.) succeed
die Gemahlin, -nen wife
das Gemälde, —, painting
gemein common, vulgar, base
gemeinsam together; mutual
gemütlich good-natured, jolly
genau exact, careful; aufs ge=
   naueste most carefully
der General'direk'tor, -en man-
   aging director
das Genick, -e back of the neck,
   neck
genug enough; genügen be
   enough, suffice
das Gepäck baggage; das Ge=
   päcknetz baggage rack
gerade straight, just, right; exactly; geradenwegs straight-
   way; geradezu directly, point-
   blank, actually
gerahmt framed
geraten, ie, a (f.) get, come into
   or to; in Bewegung geraten
   start to move
das Geräusch, -e noise, bustle,
   stir; geräuschlos noiseless
gerecht just
gereizt irritated, provoked
gering small, little, slight
gern gladly; (with verbs) like to
gerührt deeply moved; struck
der Gesang, -e song, singing
das Geschäft, -e business, shop;
   geschäftlich in matters of
   business; der Geschäftsfreund
   business connection
geschehen, a, e (f.) happen, do
das Geschenk, -e present, gift
die Geschichte, -n story, affair
die Geschmacksache matter of
   taste

das Geschrei screams, cries

die Geschwindigkeit, –en speed

die Geschwister (pl.) brothers, sisters, brothers and sisters

sich gesellen (zu) join; der Geselle journeyman, assistant; die Gesellschaft company

das Gesicht, –er face

das Gespenst, –er ghost; Gespenster sehen have hallucinations

das Gespräch, –e conversation; die Gesprächspause lull in the conversation

die Gestalt, –en form, shape, figure, character

das Geständnis, –(ss)e confession

gestatten permit, allow

gestehen, gestand, gestanden confess

gestern yesterday

gesund healthy, well, unharmed

gewaltig mighty

gewinnen, a, o win; gewinnend captivating

gewiß certain; gewissermaßen so to speak, as it were

das Gewissen conscience; gewissenhaft conscientious

das Gewitter, —, thunderstorm

sich gewöhnen become accustomed, get used to

gewöhnlich usual, ordinary

gewohnt accustomed, used to

gießen, o, o pour

Gilleleje resort on the Danish coast

der Gipfel, —, summit, height, limit

das Gitter, —, trellis, lattice, fence; das Gittertor trellised gate

der Glacéhandschuh, –e kid glove

glänzend shining, brilliant

das Glas, ⁻er glass; die Glastür glass door

glatt smooth; glattrasiert clean-shaven

glauben believe, think

gleich same, like; at once

gleichen, i, i resemble

gleichgültig indifferent

das Glied, –er member

das Glück luck, good fortune; glücklich happy, fortunate; glücklicherweise fortunately

gnädig merciful, gracious; gnädiges Fräulein mademoiselle, Miss, young lady

der Gott, ⁻er God

das Grab, ⁻er grave

der Grad, –e degree, kind

gratis free of charge

gratulieren congratulate; die Gratulation' congratulation

grau gray

greifen, i, i grasp, reach for

grenzen border on, adjoin; die Grenze boundary, border, limit; die Grenzstelle boundary, border; border official

die Grimas'se, –n grimace

grinsen grin

der Grogkeller, —, gin shop (in the basement)

der Groschen, —, small coin

groß large, big, great, tall, grand; großartig magnificent, marvelous; der Großvater grandfather

grün green

der Grund, ⁻e ground, reason; es hat einen Grund there is a reason; gründlich thorough

die Gruppe, –n group; die Gruppierung grouping

grüßen greet, send regards;
der Gruß greeting

gucken look, peep; das Guckloch
peephole

gut good, kind, fine, all right;
gütig kind; gutmütig good-
natured; die Gutmütigkeit
good nature

H

das Haar, -e hair

der Hafen, ⸗, harbor, port

haften cleave to, become fixed,
come to rest

halb half; der Halbschuh low
shoe

die Halle, -n hall, corridor,
lobby, station

hallo hello

der Hals, ⸗e neck, throat

halten, ie, a hold, stop, halt;
think; sich halten keep one's
place, remain; halt! stop!
halt⸗machen halt, stop

der Halunke, -n rascal, scoundrel

die Hand, ⸗e hand; die Handbe⸗
wegung motion of the hand,
gesture; die Handgranate
hand grenade; der Hand⸗
koffer suitcase; die Hand⸗
schellen handcuffs; die Hand⸗
schrift handwriting; die
Handtasche handbag

handeln treat of, deal with, be
concerned with, have to do
with, be

hangen, i, a hang, be attached

hängen hang, hang up

harmlos harmless, innocent

harren wait for

häßlich ugly

hastig hastily

häufig frequent

der Hauptbahnhof, ⸗e main railroad station

das Hauptportal', -e main entrance

die Hauptsache, -n important
matter, main point

die Hauptstraße, -n main street

das Haus, ⸗er house, family;
nach Hause home; zu Hause
at home; der Hausarzt family doctor; der Hausbote
messenger of the firm; der
Hausflur vestibule; die Haus⸗
suchung search of the house
(by the police); das Haustor
main entrance; die Haustür
street door

die Haut, ⸗e skin

heben, o, o raise, lift

heilig holy, sacred; der Heilige
saint

heim⸗fahren, u, a (f.) go home

heim⸗kehren (f.) return home

heimlich secret

heim⸗schicken send home

heiraten marry, get married

heiser hoarse

heiß hot

heißen, ie, ei be called, mean

die Heiterkeit cheerfulness,
merriment, hilarity

der Heldentenor', -e or ⸗e oper-
atic tenor

helfen, a, o help

hell light, bright

her hither, here, this way

heran⸗können be able to get at

heraus out, from within, forth

heraus⸗bringen, brachte heraus,
herausgebracht bring out, utter

heraus⸗helfen, a, o help out

heraus⸗holen get out

heraus=klettern (f.) climb out

heraus=klingeln ring out (of bed)

heraus=kommen, a, o (f.) come out

heraus=nehmen, a, o take out

heraus=schauen look out

heraus=schicken send out

heraus=schneiden, i, i cut out

heraus=sehen, a, e look out

heraus=springen, a, u (f.) jump out

heraus=stellen put out; sich heraus=stellen (als) turn out (to be)

die Herbeischaffung (act of) producing, recovery

her=blicken look, look over here

herein hither, in here, in

herein=blicken look in

herein=bringen, brachte herein, hereingebracht bring in

herein=fallen, ie, a (f.) come to grief, be taken in, fall for

herein=führen lead in, bring in

herein=kommen, a, o (f.) come in

her=fahren, u, a (f.) drive along, ride here; die Herfahrt trip coming here

her=fallen (über jemand), ie, a (f.) assail, attack (some one)

her=gehen, ging her, hergegangen (f.) go, walk along

her=kommen, a, o (f.) come from

her=laufen, ie, au (f.) run along

her=locken lure hither

der Herr, −en gentleman, Mr.; mein Herr sir

her=rennen, rannte her, herge=rannt (f.) run here, run along

herrlich magnificent, glorious, excellent; die Herrlichkeit glory, splendor, delicacy

die Herrschaften (pl.) ladies and gentlemen, people (of rank)

her=schicken send here

her=spazieren walk along

her=stellen establish, produce, restore

herüber=schauen look over here

herum around

herum=drehen turn around

herum=eilen (f.) hurry around

herum=fingern finger, touch with the fingers, toy with, fumble around

herum=gehen, ging herum, herum=gegangen (f.) go around

herum=schicken send around

herum=schießen, o, o shoot recklessly

sich herum=treiben, ie, ie wander about, parade, pose

herum=wühlen rummage about

herunter down, downward

herunter=holen take down

herunter=klettern (f.) climb down

herunter=lassen, ie, a let down

herunter=nehmen, a, o take down, pick up

hervor=holen take out, fetch out

das Herz, −en heart; herzlich hearty, sincere; der Herz=schmerz pain in the heart

hetzen pursue; incite, set

heute today; heutig of today, of the present time, today's

hexen practice witchcraft; hexen können be a magician

hier here; hierauf hereupon, after that; hierbei hereby, with this, meanwhile, while doing this; hierdurch through this, by this means

hier=bleiben, ie, ie (f.) remain here

hierher=kommen, a, o (f.) come here

hiesig of this place, local

die Hilfe help; der Hilferuf call for help; die Hilfstruppen auxiliary forces

hin that way, to that place

hinauf up

hinauf=gehen, ging hinauf, hinauf=gegangen (f.) go up

hinauf=steigen, ie, ie (f.) climb up, go up

hinaus out

sich hinaus=beugen bend out, lean out

hinaus=blicken (zum) look out (of)

hinaus=feuern fire, discharge

hinaus=rufen, ie, u call out

hinaus=sehen, a, e look out

hinaus=starren stare out

hinaus=treten, a, e (f.) step out

hindern hinder, prevent

hinein in

hinein=blicken look in

hinein=fahren, u, a (f.) ride in, drive in

hinein=gehen, ging hinein, hinein=gegangen (f.) go in

hinein=greifen, i, i reach in

hinein=klettern (f.) climb in

hinein=langen reach in

hinein=laufen, ie, au (f.) run in

hinein=legen place in; get the better of, steal a march

hinein=sausen rush in, race in

hinein=schießen, o, o shoot in

hinein=stürzen (f.) rush in

hin=fahren, u, a (f.) drive there, ride there, move along

sich hin=geben, a, e surrender oneself to, devote oneself to

hinge'gen on the other hand

hin=gehen, ging hin, hingegangen (f.) go there

hin=halten, ie, a hold out

hin=legen lay down, put down

hin=richten execute

sich hin=setzen sit down

hinten in back, in the rear

hinter adj. hind, rear, back; prep. behind, beyond, after

hinterdrein=klettern (f.) climb in after

hinterher behind, follow(ing)

das Hinterzimmer, —, rear room

hin=treten, a, e (f.) step up

hinü'ber over

hinü'ber=blicken glance over, look over

hinü'ber=sehen, a, e look over

hinun'ter down

hinun'ter=blicken look down

hinun'ter=führen lead down

hinun'ter=gehen, ging hinunter, hinuntergegangen (f.) go down

hinun'ter=gießen, o, o pour down

hinun'ter=klettern (f.) climb down

hinun'ter=schauen look down

hinun'ter=steigen, ie, ie (f.) step down, climb down

hinun'ter=werfen, a, o throw down

hin=weisen, ie, ie point to, indicate

hin=ziehen, o, o extend

hinzu'=fügen add, point out

histo'risch chronological

hitzig hot, hot-headed; der Hitzkopf hot-headed person

hoch high; höchst highly; höch=stens at most; hochaufgerichtet tall and erect; hocherfreut highly pleased

hoch=heben, o, o raise, lift up

die Hochzeit, —en wedding

hoch=ziehen, zog hoch, hochgezogen draw up, raise

der Hof, ⸗e court, courtyard;
höflich courteous

hoffen hope; hoffentlich it is to
be hoped, I hope, *etc.*

die Höhle, -n cave, den

Holbein: Holbein der Ältere
(*ca.* 1460–1524); Holbein der
Jüngere (1497–1543) *famous
German painters;* der Hol=
beinraub robbery of the
Holbein miniature

holen get, fetch, take

die Hölle hell

das Holzkästchen little wooden
case

hören hear, listen; der Hörer
receiver (*of a telephone*)

der Horizont', -e horizon

die Hose, -n pants, trousers

das Hotel', -s hotel; das Hotel=
büro' hotel office; der Hotel=
eingang entrance to the
hotel; die Hotelhalle hotel
lobby; die Hoteltreppe stairs
in the hotel; das Hotelzimmer
hotel room

hübsch pretty, handsome

das Hufeisen, —, horseshoe

der Hühnerstall, ⸗e chicken coop

der Hund, -e dog, hound;
hundemüde dead tired

der Hunger hunger; Hunger
haben be hungry

husten cough

der Hut, ⸗e hat; das Hutband
hatband

hüten guard, watch

die Hütte, -n hut

hyste'risch hysterical

J

die Idee', -n idea

identifizieren identify

immer always; noch immer still

imstan'de=sein be able, be in a
position, be capable of

der India'ner, —, Indian; In=
dianerspielen playing at being
Indians

die Innenstadt heart of the city,
old part of the city (*within
the former city walls*)

das Innere the inside

der In'sasse, -n occupant

die Insel, -n island

die Instanz', —en authority,
court

inszenieren stage

sich interessieren (für) be interested (in); das Interes'se in-
terest; interessant' interest-
ing

inzwi'schen meanwhile

irgend any, some; irgend jemand
some one; irgendein some;
irgendwo somewhere

die Ironie' irony; iro'nisch
ironical

sich irren be mistaken; der
Irrtum error, mistake

J

ja yes; really; why

der Jackett'knopf, ⸗e coat button

die Jagd, -en hunt, chase

das Jahr, -e year; das Jahr=
hun'dert century; das Jahr=
zehnt' decade

jawohl' yes indeed

je (*abbr. of* Jesus): O je! oh,
heavens!

jedenfalls at any rate

jeder each, every, any

jedoch' however, but

jeglich each, every, all

jemand some one, somebody

jetzt now

das Jubiläum (pl. Jubiläen) jubilee, anniversary

der Junge, –n boy; der Jüngling youth; der Jüngste youngest (son)

K

der Kaffee coffee

der Kaiserdamm *street in Berlin*

die Kalkwand, ⸗e plaster wall, whitewashed wall

kalt cold

die Kamel'haardecke, –n camel's hair blanket

kämmen comb

kämpfen fight, struggle

das Kanin'chen, —, rabbit

die Kapel'le, –n band, orchestra

der Kapitän', –e captain

das Kapi'tel, —, chapter

kariert checked

die Karte, –n card

der Karton', –s pasteboard box

die Kasse, –n cashier's desk

kassie'ren cash, ring up the cash register

das Kästchen, —, case

der Kasten, —, box, mailbox

kauen chew

kaufen buy, purchase; die Kaufkraft purchasing power; kauflustig inclined to buy; der Kauflustige customer; Kaufhaus des Westens *name of a department store*

kaum hardly, scarcely

kehren turn

keineswegs by no means

der Keller, —, cellar, basement

der Kellner, —, waiter

kennen, kannte, gekannt know, be acquainted with; kennenlernen become acquainted with

der Kerl, –e fellow

die Kette, –n chain, file

das Kind, –er child; die Kindertrompe'te toy trumpet

der Kirschkuchen, —, cherry cake

klappern rattle, blink

klar clear

die Klasse, –n class

klatschen clap, applaud

der Klavier'spieler, —, piano player

kleiden clothe, dress; das Kleid dress; *pl.* clothes

klein small; die Kleinigkeit trifle

klettern climb

klingeln tinkle, ring; die Klingel small bell, button

klingen, a, u sound

klopfen knock, beat, pound

der Klubsessel, —, armchair

klug wise, shrewd

der Knabe, –n boy

der Knecht, –e servant, farm laborer, hired hand

der Knicks, –e bow, curtsy

knien kneel; das Knie knee

der Knopf, ⸗e button

knurren growl, grumble

der Koffer, —, trunk, suitcase; der Kofferdeckel suitcase lid; der Kofferschlüssel suitcase key

der Kolle'ge, –n colleague

kolossal' colossal, huge

komisch comical, funny

kommandieren command

kommen, a, o (f.) come; kommend following, next

der Kommissar', –e commissioner, police inspector

der Kompagnon', –s partner, associate

der Komplize, –n accomplice

komplizieren complicate

komponieren compose

der König, –e king; die Königin queen

der Konkurrent', –en competitor, rival; die Konkurrenz' competition, competitors, rivals, rival gang

können, konnte, gekonnt can, be able, may

konsumieren consume

kontrollieren control, check, inspect, watch; die Kontrol'le inspection

köpfen behead; der Kopf head; kopfüber head foremost

die Kopie', –n copy; der Kopist' copyist

korrespondieren correspond

korrigieren correct

kosten cost; kostbar costly, precious, valuable

der Kostüm'ball', ⸗e fancy-dress ball

das Kotelett', –e cutlet

krachend crashing, with a crash

kräftig strong, powerful

krank sick, ill; das Krankenhaus hospital

kratzen scratch

die Krawat'te, –n necktie

die Kreide, –n chalk

der Krieg, –e war

kriegen obtain, get, receive, catch

der Kriminalist', –en authority on criminal law; der Kriminal'beamte detective; der

Kriminal'kommissar' chief of detectives, inspector; die Kriminal'polizei detective force, detectives; kriminell' of a criminal character

kritisch critical

die Krone, –n crown (Danish coin)

der Kronleuchter, —, chandelier

die Küche, –n kitchen; food, cooking; der Küchenchef head cook, chef

der Kuchen, —, cake

der Kummer grief, sorrow, trouble

der Kumpan', –e companion, fellow, accomplice

der Kunde, –n customer; die Kundin customer (fem.); die Kundschaft customers

kündigen give notice or warning, give up; die Kündigung notice, resignation

die Kunst, ⸗e art; der Kunst= gegenstand art object; das Kunstgeschäft art shop; der Kunsthistoriker art historian; der Künstler artist; die Künst= lerin artist (fem.); das Künst= lerhaar artist's hair; der Kunstsammler art collector; das Kunstwerk work of art

kupferrot copper-colored

der Kurgast, ⸗e visitor at a health resort

die Kurve, –n curve

kurz short, curt; kurzerhand briefly, abruptly, without further ceremony

die Kusi'ne, –n cousin (fem.)

der Kuß, ⸗(ss)e kiss

die Küste, –n coast

der Kustos (*pl.* Kusto'den) custodian, curator

der Kutscher, —, coachman, taxi driver

das Kuvert', –e *or* –s envelope

L

lächeln smile

lachen laugh

der Laden, ⸚, shop, store; der Ladenbesitzer shopkeeper; die Ladenglocke shop bell; die Ladenstube room behind the shop, back room; der Ladentisch counter; die Ladentür shop door

die Lage, –n situation

lähmen paralyze

die Landkarte, –n map

die Landstraße, –n highway

lang long; lange a long while; längst long ago, for a long time; die Länge length; der Länge nach according to length, full-length, lengthwise; langgestreckt stretched out, extended, long

langsam slow

sich langweilen be bored

der Lärm noise

lassen, ie, a let, leave, allow, have, stop, can; er ließ kein Auge von . . ., he did not take his eyes off . . .

die Last, –en burden; lästig burdensome, annoying

laufen, ie, au (s.) run, go; get away, escape; der Lauf course

die Laune, –n mood, humor

lauschen listen

laut loud, aloud; lautlos noiseless, silent

lauten sound, run, read

läuten ring

lauter nothing but

leben live; lebendig alive; lebendig werden come to life; das Leben life; das Lebensende end of life; das Lebewesen living being; lebhaft lively, animated

die Leberwurst, ⸚e liver sausage

das Ledersofa, –s leather sofa

leer empty; leerfahrend empty; leertrinken empty, drain

legen lay, place

lehnen lean

der Lehrer, —, teacher

leichenblaß pale as death

leicht light, easy; die Leichtgläubigkeit credulity

der Leichtsinn frivolity, levity, carelessness

leid tun: es tut mir leid I am sorry

leiden, litt, gelitten suffer, bear

leider unfortunately

leihen lend, borrow, hire, let; das Leihauto automobile for hire, taxi

das Leinen, —, linen

leise low, soft, quiet

leisten perform, accomplish, afford, give; Gesellschaft leisten keep company

leiten lead; der Leiter leader

die Lektü're, –n reading

lenken direct, put

lesen, a, e read; die Lesebrille reading glasses

letzt last; bis ins letzte to the last detail

leuchten shine, beam, light, flash

die Leute (*pl.*) people

das Licht, –er light

lieben love; lieb dear; lieber

rather, better; mir ift lieber
I prefer; die Liebe love; die
Liebeserflärung declaration
of love; die Liebesgeschichte
love story, love affair; der
Liebhaber lover; liebenswür=
big amiable, kind; die Liebens=
würdigfeit amiability, kind-
ness; liebevoll loving

liefern furnish, deliver

liegen, a, e lie, be situated; der
Liegestuhl deck chair

der Lift, -e or -s elevator; der
Liftboy elevator boy

linf left

die Lippe, -n lip

das Loch, ⸚er hole; lochen punch

loden lure, entice

die Loge, -n box (in a theatre)

logisch logical

lohnen: das lohnt fich that's
worth while   [hall, shop

das Lofal', -e locality, place,

los loose; los! get going! was
ift los? what's the matter?

los=gehen, ging los, losgegangen
(f.) begin, get going

los=laffen, ie, a let go

los=schiden send out

los=schießen, o, o shoot away,
fire away

los=fein, war los, losgewesen (f.)
be rid of   [dash

los=stürzen (f.) rush away,

los=werden, wurde los, losge=
worden (f.) get rid of, ad-
minister

die Lösung, -en solution

der Löwe, -n lion

die Luft, ⸚e air; lüften air; lift up,
raise; der Luftballon balloon

lügen, o, o lie, tell a falsehood;
gelogen a lie; die Lüge lie

der Lump, -e(n) scoundrel

die Lupe, -n magnifying glass

die Luft, ⸚e pleasure, desire,
mirth, fun; luftig merry,
gay, jolly, jovial; fich luftig
machen über make fun of

M

machen make, do, give, turn on;
gemacht settled, o.k.

mächtig mighty, powerful

das Mädchen, —, girl

die Magd, ⸚e maid

der Magen, —, stomach

die Mahlzeit, -en meal, meal-
time; Mahlzeit! good day!
good-by!

mal = einmal once, sometime;
just

das Mal, -e time; das erfte Mal
the first time; mit einem Male
suddenly

malen paint; der Maler painter

Malmö city in southern Sweden

man one, they

manch many a, some; fo manches
many a thing; manchmal
sometimes

manipulieren manipulate

der Mann, ⸚er man

der Mantel, ⸚, cloak, overcoat

das Märchen, —, fairy tale,
story

die Marke, -n stamp; badge

die Marmortischplatte, -n mar-
ble table-top

marschbereit ready to go

die Maßnahme, -n measure

die Mate'rie, -n matter, subject,
case

der Matro'fe, -n sailor; die Ma=
trofenfneipe sailors' tavern

die Mauer, -n wall

das Maul, ⸗er mouth (*of beasts*); das Maul halten shut up

die Mausefalle, –n mousetrap

das Meer, –e sea, ocean

mehr more; nicht mehr no longer; mehrere several; mehrmals repeatedly

meinen mean, think, say; die Meinung opinion

meinerseits for my part, so far as I am concerned

der Meister, —, master

melden announce, report; sich melden volunteer, answer, give one's name; die Meldung announcement, report, news

die Menge, –n great quantity, multitude, crowd

der Mensch, –en human being, man, person; menschlich human; Menschenskind! man alive! heavens!

mephistophelisch Mephistophelian

merken note, notice, remember; merklich noticeable, visible; merkwürdig noticeable, remarkable, strange

das Messer, —, knife

metal'len metal, brass

die Miete, –n rent; der Mieter, —, lessee, tenant, lodger

mild mild, gentle

mindest least, slightest, smallest; mindestens at least

der Miniatu'rendieb, –e person who stole the miniature

Minna: Grüne Minna Black Maria, police wagon

die Minu'te, –n minute; minutenlang for minutes

mischen mix, interfere, meddle

mißbil'ligen disapprove

mißbrau'chen misuse, abuse

mißfal'len, ie, a displease

mißlin'gen, a, u (s.) miscarry, prove unsuccessful, fail

mißmutig dejected

mißtrauisch distrustful, suspicious

das Mißverständnis, –(ss)e misunderstanding

mit with, by, at, along; miteinander with one another; der Mitreisende fellow traveler

mit⸗bringen, brachte mit, mitgebracht bring along

mit⸗fahren, u, a (s.) ride along, drive along, come along

mit⸗kommen, a, o (s.) come along

mit⸗nehmen, a, o take along

mit⸗schicken send along

der Mittag, –e midday, noon; heute mittag this noon

die Mitte, –n middle, center; mitten midway, in the middle

mit⸗teilen impart, inform, tell; die Mitteilung communication, information

mittlerweile meanwhile

die Mitwirkung coöperation

das Möbel, —, piece of furniture; der Möbelwagen moving van

mobil' active, ready to march; das Mobiliar' furniture

mögen, mochte, gemocht may, can, like, care to

möglich possible; möglichst weit as far as possible; möglicherweise possibly

die Mondscheinfahrt, –en moonlight trip

der Montagmorgen, —, Monday morning

mora'lisch moral

mörderisch murderous, terrible, ravenous

motorisieren motorize; das **Motorrad** motorcycle; die **Motorstreife** police motorcycle patrol

müde tired

die **Mühe**, —n trouble, effort, difficulty

der **Mund**, -e or -er mouth; der **Mundwinkel** corner of the mouth

munter awake, lively, merry, gay

die **Münze**, —n coin

murmeln mumble, murmur, mutter

mürrisch morose, sullen

die **Musik'** music; der **Musiker** musician

müssen, mußte, gemußt be obliged to, have to, must

mustern survey, examine, observe, study

der **Mut** courage

die **Mutter**, -, mother; die **Mutti** mummy

die **Mütze**, —n cap

N

na well

nach toward, to, for, after, according to; **nach** wie vor now as before

der **Nachbar**, —n neighbor; die **Nachbarin** neighbor (*fem.*)

nach=blicken look after

nachdem' after

nach=denken, dachte nach, nachgedacht think, reflect, consider; **nachdenklich** thoughtful, pensive, meditative

nach=forschen inquire, search after, investigate

nach=füllen fill up (the glasses)

nach=geben, a, e give in, yield

die **Nachricht**, —en news, information, report

nach=sehen, a, e go and look, look up, find out, look to see

nachsichtig forbearing, indulgent

nächst next, nearest; das nächste **Mal** next time; **nächstens** shortly, very soon, next

die **Nacht**, -e night; das **Nachthemd** nightshirt; **nächtlich** nightly, nocturnal, dark

nachträglich subsequent, retrospective, after doing it

nach=weisen, ie, ie point out, prove, corroborate

der **Nacken**, —, nape of the neck, neck

der **Nagel**, -, nail, hook

nah(e) near; **nahe=stehen** be on friendly terms; die **Nähe** nearness, proximity, neighborhood; in der **Nähe** nearby; **Näheres** details; sich **nähern** come near, approach

der **Name**, -n name; **namens** by the name of

nämlich namely, that is to say, you know, for

nanu!' well, well! what's the meaning of this?

die **Nase**, —n nose

natür'lich natural; of course

der **Nebel**, —, mist, fog

neben next to, beside; **nebenbei** incidentally; **nebeneinander** next to one another; **nebeneinanderliegend** adjoining; die **Nebengasse** side street; die **Nebenstraße** side street;

der Nebentisch adjoining table; das Nebenzimmer adjoining room

nee (*dial.*) no

nehmen, a, o take

neidisch envious

neigen bend over, incline, bow

nein no

nennen, nannte, genannt name, call, mention

der Nerv, –en nerve; nervös' nervous

nett neat, nice, good

neu new; von neuem anew, again; neuerdings recently; die Neuigkeit news, novelty

neugierig curious

nicht not; nichts nothing

nicken nod

nie never; niemals never; niemand no one

nieder down; nieder=schlagen, u, a cast down, strike down; nieder=setzen put down

niedrig low

die Nische, –n niche, alcove

noch still, yet, nor; auch noch besides; nochmal once more

norddeutsch North German

das Notenpapier, –e music paper

notieren note, make a note of

nötig necessary

notwendig necessary

die Nummer, –n number; die Nummernscheibe dial

nun now

nur only

nützen be of use; nützlich useful

O

ob if, whether

oben above, upstairs

der Ober = Oberkellner head-waiter, waiter

das Oberhemd, –en dress shirt, shirt

der Oberwachtmeister, —, top sergeant

obgleich' although

obwohl' although

der Ochs or Ochse, –(e)n ox

oder or

(die) Oesterbrogade *street in Copenhagen*

offen open, frank; öffnen open

oft often; des öfteren frequently

ohne without

das Ohr, –en ear; der Ohrenarzt ear doctor; die Ohrfeige box on the ear

das Okto'berfest, –e *popular Munich festival*

der Opel *German Ford*

das Opfer, —, sacrifice, victim

ordinär' ordinary, low, vulgar

die Ordnung, –en order

sich orientieren find one's way about, get one's bearings; orientiert informed

der Orthopä'de, –n orthopedist

der Osten east; die Ostsee Baltic Sea

P

das Paar, –e pair, couple; ein paar a few, several; paar=weise in pairs

packen pack; das Päckchen little parcel, bundle; der Packen bundle, pack, batch; der Packer packer

das Paket', –e package

die Panne, –n puncture, flat tire

der Pantof'fel, –n slipper; unter

dem Pantoffel stehen be henpecked

das Papier', –e paper; der
Papier'korb wastebasket; die
Papier'mütze paper cap; pa=
piern' paper, of paper

der Park, –e park

das Parkett', –e parquet floor,
dance floor

die Partie', –n party, company

der Passagier', –e passenger

der Passant', –en passer-by

passen fit, suit; passend suitable

passieren (f.) happen; (h.) pass

die Paßkontrolle examination
of passports

der Pastor, –en pastor

der Pate, –n godfather

patent' smart, elegant

die Pause, –n pause, intermis-
sion

peinlich painful, embarrassing

die Pension', –en boarding-
house; der Pensionär' boarder

perplex' confused, bewildered

die Person', –en person; persön=
lich personal

pfeifen, i, i whistle

der Pfennig, –e penny, pfennig
(100 *pfennigs* = 1 *mark*)

das Pflaster, —, pavement

pflegen take care of, be accustomed to

die Pflicht, –en duty

das Pilsner, —, *light beer (made
in Pilsen, Czechoslovakia)*

planen plan; der Plan plan

die Platte, –n plate, platter

der Platz, ⁻e place, room, seat

plaudern chat

plausi'bel plausible; plausi'bel
machen explain

plötzlich sudden

das Podium (*pl.* Podien) platform, stage

die Polizei' police; das Polizei=
Auto police car; der Polizei=
beamte police official; das
Polizei'=Motorrad police
motorcycle; das Polizei=
präsi'dium police headquarters; die Polizei'streife police
patrol; der Polizist' policeman

das Portal', –e main entrance

der Portier', –s house porter,
doorkeeper, concierge

der Porzellan'teller, —, porce-
lain plate

die Post, –en post office, post,
mail; der Postbote postman;
die Postkarte postcard

der Posten, —, post, place, station, sentinel, man on watch

postieren post, place, station

prächtig magnificent

prahlen boast

praktisch practical

das Präsi'dium (*pl.* Präsidien)
headquarters

präzis' precise; die Präzision'
precision

der Preis, –e price, prize

pressen press

die Prinzes'sin, –nen princess

die Privat'sekretärin, –nen private secretary

der Privat'wagen, —, private
car

probieren test, try on

der Profes'sor, –en professor

das Promena'dendeck, –s promenade deck

Prost! your health!

protokollieren take down, keep a
record of the proceedings;

das Protokoll' record, report

prüfen try, examine, test, inspect; prüfend searchingly

das Pulverfaß, ⸗(ss)er powder barrel

der Punkt, –e point, period, end; pünktlich punctual, prompt

das Pyja'ma pajamas

R

rächen avenge, revenge; würde es sich rächen? would it prove dangerous? die Rache revenge

das Rad, ⸗er wheel, bicycle; radeln ride a bicycle

der Rahmen, —, frame

rasch quick, swift

rasen rave; speed, race

rasieren shave

der Rat (pl. Ratschläge) counsel, advice; ratlos perplexed, helpless

raten, ie, a guess, advise, suggest

der Rathausplatz city hall square

das Rätsel, —, riddle

rauben rob, steal; der Raub robbery; der Räuber robber; die Räuberbande gang of robbers; der Räuberhauptmann robber chief; die Räuberhöhle den of robbers; der Raubzug marauding expedition

rauchen smoke

rauh rough, coarse, harsh, gruff

der Raum, ⸗e room, space, place

'raus! = heraus! out, outside, get out!

rebel'lisch rebellious

rechnen figure, calculate, count upon, take into consideration

recht right, quite; recht haben be right; rechtzeitig prompt, in good time

reden speak; die Rede speech

regelmäßig regular

reiben, ie, ie rub

reich rich

reichen hand, give, extend

der Reifen, —, tire

die Reihe, –n row

reisen travel; die Reise journey; das Reiseandenken souvenir of a journey; der Reiseführer guidebook; der Reisegefährte fellow traveler; der Reisepaß passport

der Reißverschluß, ⸗(ss)e zipper

reizend charming

die Reling, –en rail (of a ship)

rennen, rannte, gerannt (s.) run

repräsentativ' representative; dignified, imposing

resigniert resigned

retten save, rescue

das Revier', –e district, station; der Revier'inspek'tor district police inspector

richtig right, correct, regular

die Richtung, –en direction

riechen, o, o smell

der Riegel, —, bolt

der Riese, –n giant; die Riesenarbeit gigantic piece of work, huge task; riesenhaft gigantic; riesig gigantic, immense, mighty

ringen, a, u struggle, wrestle, grapple; wring

der Ringkämpfer, —, wrestler, prize fighter

der Rippenstoß, ⸚e nudge, poke in the ribs

riskant' risky, dangerous

der Rock, ⸚e coat, skirt; die Rocktasche coat pocket

die Rohstoffe (pl.) raw materials

das Roko'ko rococo

der Rolltisch, –e serving table on wheels, service wagon

rot red; der Rotwein red wine, claret, port; der Rotweinspezialist' red-wine expert

rücken move, move over

der Rücken, —, back; die Rückseite back side, back, reverse

die Rücksicht, –en respect, regard; Rücksicht nehmen have regard for, take into consideration

rufen, ie, u call, exclaim

die Ruhe rest, quiet, peace; ruhig quiet, still

sich rühren move, stir; rührend touching

die Rührung feeling, emotion

rümpfen: die Nase rümpfen turn up one's nose, sneer

rund round

runzeln wrinkle; die Stirn (die Augenbrauen) runzeln frown

rütteln shake

S

die Sache, –n thing, matter, affair, case

(das) Sachsen Saxony

sagen say, tell

die Saison', –s season

sammeln collect; der Sammler collector; die Sammlung collection

samt (together) with, and

sämtlich all, entire

die Sandalet'te, –n sandal

sanft gentle

saufen, soff, gesoffen drink (of beasts), drink to excess

sausen rush, roar

die Schachtel, –n (little) box

der Schachzug, ⸚e move at chess, strategy

schade: es ist schade it is a pity, it is too bad

der Schaden, ⸚, damage, loss, injury; der Schadenersatz reparation, compensation; schadenfroh gloating over other people's misfortunes, malicious

der Schaffner, —, conductor

der Schal, –s or –e shawl, scarf

sich schämen be ashamed

der Schatten, —, shadow, shade

schauen look; das Schaufenster show window; die Schaufensterpuppe wax dummy

die Schauspielerin, –nen actress

der Scheck, –s or –e check

der Schein, –e bank note; appearances

scheinen, ie, ie shine; der Scheinwerfer searchlight; headlight

schenken give, present (a gift)

scherzen jest, joke; der Scherz jest, joke

schicken send

das Schicksal, –e fate, destiny

schieben, o, o shove, push; das Schiebefenster sliding window

schielen squint, cast furtive glances at

das Schiff, –e ship, boat; der

Schiffsbauch hold (*of a ship*);
der Schiffszoll customs inspection on the boat
die Schifferjoppe, –n sailor's
jacket
das Schild, –er signboard, doorplate
schildern describe, picture
schimpfen scold, abuse, grumble,
curse
schlafen, ie, a sleep; die Schlaf=
mütze nightcap; sleepyhead,
lazy fellow
schlagen, u, a strike, bang, slam,
slap, knock
schlank slender, tall
schlau sly, cunning, crafty
schlecht bad, poor
schleichen, i, i (f.) sneak, slink,
creep
schleunig quick, speedy, swift
schließen, o, o close, lock, conclude; schließlich finally, at
last, after all
schlimm bad
das Schloß, –(ff)er lock
schlummern slumber, doze, nap
der Schluß, –(ff)e end, conclusion; zum Schluß finally, in
conclusion; Schluß machen
stop
der Schlüssel, —, key; der
Schlüsselbund bunch of keys
schmecken taste (good)
der Schmuck, –e ornament, jew-
els
schmuggeln smuggle
schmunzeln smirk, look pleased,
smile, grin
der Schnabel, –, bill, beak,
mouth; den Schnabel halten
keep one's mouth shut
schnalzen click, smack, snap

schnappen snap, close with a
snap; snatch; gasp
der Schnaps, –e brandy, gin;
unter Schnaps setzen fill (some
one) full of liquor; das
Schnapsglas whisky glass
schnarchen snore
schnell quick, fast; der Schnell=
zug express train; das Schnell=
zugstempo speed of an ex-
press train
die Schnitzeljagd, –en paper
chase
der Schnurrbart, –e mustache
die Schokolade, –n chocolate
schon already; all right; right
schön beautiful; all right
schräg oblique, slanting, di-
agonal, at an angle, crooked
der Schrank, –e cupboard, wardrobe, cabinet; case
der Schreck terror, fright, shock;
Schreck bekommen become
frightened; schrecklich terrible
schreiben, ie, ie write; der
Schreibtisch desk
schreien, ie, ie cry, shriek,
scream; der Schrei cry,
shriek, scream
schreiten, i, i (f.) stride, step,
walk; der Schritt step, stride
die Schüchternheit timidity, shy-
ness, bashfulness
der Schuft, –e scoundrel, rascal
der Schuh, –e shoe; das Schuh=
geschäft shoe store; die Schuh=
größe size of shoe; der Schuh=
laden shoe store; das Schuh=
paket' package of shoes
die Schuld, –en debt, guilt, fault,
blame; schuld sein be at fault,
be one's fault; schuldig guilty;
schuldig sein owe

das Schulkind, –er school child
das Schulmädel, —, schoolgirl
die Schulter, –n shoulder
der Schupo, –s (*abbr. of* Schutz=
polizei) policeman
die Schürze, –n apron
die Schußwaffe, –n firearm, revolver
schütteln shake
der Schutzengel, —, guardian
angel
der Schutzmann, –er *or* —leute
policeman
die Schwäche, –n weakness
der Schwager, –, brother-in-law
schwanken sway, move from
side to side, walk unsteadily
schwärmen swarm; rave, be enthusiastic
schwarz black
schweben soar, hover, float, be,
swim
schweigen, ie, ie be silent, be
quiet, pause; schweigsam silent, taciturn
die Schweinerei', –en swinish-
ness, filthiness, mess
der Schweiß, –e sweat, perspira-
tion
schwenken wave
schwer heavy, difficult, hard;
schwerfällig heavy, ponder-
ous, slow, awkward
der Schwiegersohn, –e son-in-
law; die Schwiegertochter
daughter-in-law; der Schwie=
gervater father-in-law
schwierig difficult
schwimmen, a, o (s.) swim,
float, sail, steam
der Schwindel, —, fraud
schwingen, a, u swing
schwitzen sweat, perspire

schwören, o, o swear
schwungvoll spirited, full of
enthusiasm, sweeping
die Sechspfennigmarke, –n six
pfennig stamp
die See, –n sea, ocean, seashore
die Seelenruhe peace of mind,
calmness; in aller Seelenruhe
calmly
sehen, a, e see
sehr very, very much
seit since, for; seitdem' since,
since that time
die Seite, –n side; hand; page;
auf seiten on the side of; der
Seitenblick side glance; die
Seitentür side door
die Sekretä'rin, –nen secretary
die Sekun'de, –n second
selb self, same; selber self;
selbst self, even; die Selbst=
bedienung self-service; die
Selbstbeherrschung self-con-
trol; selbstgebacken home-
made; selbstvergessen self-
forgetting, absent-minded,
unselfish; selbstverständlich
self-evident, goes without
saying, (a matter) of course
selten rare, seldom
seltsam strange, odd, curious
senken lower
setzen set, place; sich setzen (zu)
sit down (by)
sicher safe, sure; die Sicherheit
safety; in Sicherheit bringen
remove to a safe place
die Sicht sight
sieghaft victorious
singen, a, u sing
sinken, a, u (s.) sink, drop
der Sinn, –e sense, intellect,
meaning

sitzen, saß, gesessen sit, be situated, be; jemand sitzenlassen abandon a person; der Sitz seat; die Sitzbank bench, seat

der Skat, -e skat (*German card game*); der Skatbruder member of a card club; der Skatklub card club

skeptisch skeptical

sobald' as soon as

soe'ben just

sofort' at once, immediately; sofor'tig immediate

sogar' even, in fact

sogenannt' so-called

sogleich' at once

solan'ge as long as

solch such

sollen, sollte, gesollt shall, ought, to be to, is said to

somnambul' somnambulant, absent-minded

sonderbar strange, odd

sondern but

der Sonnabend, -e Saturday; der Sonnabendabend Saturday evening

der Sonntagmorgen, —, Sunday morning; der Sonntagnachmittag Sunday afternoon

sonst else, formerly; usually

sorgen be anxious, care for; sich sorgen trouble oneself about; worry; die Sorge care, worry; sich Sorgen machen worry; sorgfältig careful

soviel' so much, as much

soweit' so far

sowieso' anyway

der Spalt, -e slit, crack; einen Spalt breit an inch or two

sparen save; sparsam thrifty

der Spaß, ⸗(ff)e fun, jest

spät late; spätestens at the latest

spazie'ren (s.) promenade, stroll; die Spazier'fahrt drive; der Spazier'gang walk; der Spazier'stock walking stick, cane

der Speisesaal, -säle dining hall; das Speisezimmer dining room

der *or* das Spekta'kel, —, show, noise, row, scene

die Sperre, -n gate (*leading to railroad platform*)

der Spiegel, —, mirror; spiegelglatt smooth as a mirror

spielen play, act; der Spielplatz playground

der Spitzel, —, spy

spitzen point, sharpen; die Ohren spitzen prick up one's ears

spöttisch jeering, sarcastic

die Sprache, -n language

sprechen, a, o speak, see (*a person*)

springen, a, u (s.) spring, jump

spüren trace, track; feel; die Spur trace, track, scent; spurlos without trace

die Stadt, ⸗e city; das Stadt'theater municipal theatre; stadtwärts towards the city

das Stammcafé, -s regularly frequented café

stammeln stammer, stutter

stammen be descended from, be derived from, come from

der Ständer, —, stand, matchbox

stark strong

starren stare, gaze

statt instead of

statt⸗finden, a, u take place

staunen be astonished; das Staunen astonishment

stecken stick, put, be

(das) Steglitz *Berlin suburb*

stehen, stand, gestanden stand, be

stehen=bleiben, ie, ie (f.) stop

stehlen, a, o steal

steif stiff, rigid

steigen, ie, ie (f.) climb, mount; get off, descend

der Stein, −e stone

stellen place, put; die Stelle place; auf der Stelle at once

die Steuer, −n tax

der Stich, −e stitch, prick, sting, sharp pain; lurch

still=legen shut down, stop

die Stimme, −n voice

stimmen agree, be true; stimmt! correct! right!

die Stirn, −en forehead, brow; brazenness

der Stock, ⸗e stick, cane; story, floor; der erste Stock one flight up, second floor; das Stockwerk story, floor

der Stoff, −e matter, material

stöhnen groan

stolz (auf) proud (of)

stopfen stuff, cram

stören disturb, interrupt

stoßen, ie, o push, shove, bump

die Strafe, −n punishment, fine, sentence

strahlen radiate, beam, shine

die Straße, −n street; die Straßenbahn street car; die Straßenecke street corner; der Straßenrand edge of the road; die Straßenseite side of the street

sich sträuben resist, oppose, hesitate

die Strecke, −n stretch, length, section, distance, run

der Streich, −e trick, prank

streicheln stroke

streichen, i, i stroke

das Streichholz, ⸗er match

die Streife, −n patrol

streng strict, severe, stern

streuen strew, scatter

der Strolch, −e tramp

die Stube, −n room

das Stück, −e piece

studieren study, read

die Stufe, −n step

der Stuhl, ⸗e chair; das Stuhlbein leg of the chair

stumm silent

stünde *past subj. of* stehen

stürzen hurl, plunge, rush; sich stürzen rush, plunge

sich stützen support oneself

der Subdirek'tor, −en assistant manager

suchen seek, look for, search, do

der Süden south; südwestlich southwest(ern)

suggerieren suggest

die Summe, −n sum, amount

die Sünde, −n sin; der Sünder sinner

T

die Tafel, −n table, buffet, bar

der Tag, −e day

tanken stop for gas; die Tankstelle filling station

tanzen dance; das Tanz'lokal' dance hall; das Tanzpaar dancing couple

tappen grope (one's way); move

die Tasche, −n pocket; handbag, suitcase; die Taschenlampe pocket flashlight; das Taschentuch handkerchief die **Tat,** –en deed; in der **Tat** indeed; die **Tätigkeit** activity, work; **tatsächlich** actual

der *or* das **Teil,** –e part; sie dachten sich ihr **Teil** they drew their own conclusions

das **Telephon',** –e telephone; das **Telephon'buch** telephone directory; der **Telephon'hörer** receiver; die **Telephon'nummer** telephone number; **telepho'nisch** by telephone

der **Teller,** —, plate

temperament'voll temperamental, spirited

das **Tempo,** –s time, measure, pace, rate, speed

der **Teppich,** –e rug, carpet

teuer dear, expensive

der **Teufel,** —, devil; **Teufel nochmal!** darn it! good heavens!

der **Textil'fabrikant',** –en textile manufacturer

das **Thea'ter,** —, theatre, show

die **Theorie',** –n theory

tief deep; **tiefgesenkt** deeply lowered; **tiefsinnig** pensive, serious, profound; sagely

die **Tiergartenvilla** (*pl.* —villen) residence facing the Tiergarten (*Central Park of Berlin*)

der **Tiger,** —, tiger

tippen touch gently, tap

der **Tiro'ler,** —, Tyrolean; der **Tiro'lerhut** Tyrolean hat

der **Tisch,** –e table; die **Tischreihe** row of tables

die **Tochter,** ⸗, daughter

todsicher absolutely certain

der **Tondichter,** —, composer

das **Tor,** –e gate, entrance; der **Torbogen** arched entrance; die **Toreinfahrt** entrance, gateway, doorway

tot dead; **tot-schlagen,** u, a strike dead, kill

tragen, u, a carry, wear, have on, bear

die **Träne,** –n tear

sich trauen dare

die **Trauer,** —, mourning

träumen dream

traurig sad, sorrowful

treffen, a, o meet, strike; der **Treffpunkt** place of meeting

trefflich splendid, excellent

trennen separate; **getrennt** separately

die **Treppe,** –n staircase, steps

der **Tresor',** –e safe, vault; der **Tresor'schlüssel** key of the safe

treten, a, e (s.) step, go, appear, enter; der **Tritt** step

treuherzig true-hearted, candid, simple

trinken, a, u drink

trocknen dry

trommeln drum, tap, pound

trotz in spite of; **trotzdem** in spite of that, nevertheless

trüb dull, dim, gloomy; melancholy, sad; **trübselig** troubled, gloomy, sad; **trübsinnig** low-spirited, sad, melancholy

trügen, o, o deceive, be deceptive

tüchtig able, capable, efficient, thorough, proper

tun, tat, getan do, act, pretend

die **Tür,** –en door; das **Türschild** doorplate

U

übel evil, bad; übel=nehmen, a, o take amiss

über over, at, above, concerning, about, across

überall everywhere

überfal'len, ie, a fall upon suddenly, attack; der Überfall attack; das Überfallauto police car; das Überfallkommando flying squad, riot squad

überflie'gen, o, o glance over quickly, peruse

überfüllt' crowded

überge'ben, a, e hand over to

über=gehen, ging über, übergegangen (f.) go over, proceed to

überhaupt' generally, on the whole, at all, of any

überho'len overtake

überle'gen think over, reflect, consider

übernach'ten pass the night

überneh'men, a, o take over

überra'schen surprise; die Überra'schung surprise

überrei'chen hand over to

die Übertrei'bung, –en exaggeration

überwäl'tigen overpower, overcome

überzeu'gen convince

üblich customary

übrig left over, remaining, other, to spare; im übrigen for the rest, otherwise; übrigens for the rest, moreover, incidentally; übrig=bleiben, ie, ie (f.) be left over, remain

die Uhr, –en clock, watch, time

um about, around, by, after, at, for, to, in order to, over, up

um=binden, a, u tie around, put on

sich um=blicken look around

um=bringen kill

um=drehen turn around, wring; turn inside out

um=fallen, ie, a (f.) fall over

umge'ben, a, e surround; die Umge'bung surroundings, neighborhood

um=haben have on, wear

umklam'mern embrace, clasp

um=kommen, a, o (f.) perish, die

die Umleitung, –en detour

umliegend neighboring, surrounding

umrahmt' framed

umrin'gen surround, encircle

sich um=schauen look around

der Umschlag, ⸚e envelope

sich um=sehen, a, e look around

der Umstand, ⸚e circumstance; pl. ceremony, fuss

umste'hen, umstand, umstanden stand about

umstel'len surround

um=tauschen exchange

der Umweg, –e detour

unangenehm disagreeable

unauffällig unobtrusive

unaufmerksam inattentive

unbändig unruly, unrestrained, tremendous

unbeachtet unnoticed, ignored

unbeantwortet unanswered

unbedingt unconditional, absolute

unbekannt unknown; unbekannterweise although unknown to you

unbeo'bachtet unobserved

unbeteiligt not concerned in, having no share in, indifferent

unbeweglich motionless

unentschlossen undecided

unerschüt'terlich unflinching, imperturbable, undaunted

unfreundlich unfriendly

ungebildet uneducated, unmannerly

ungeduldig impatient

ungefähr about, approximately

ungeheuer enormous

ungeköpft not beheaded

ungelegen inopportune, inconvenient

ungeschickt awkward

ungestört undisturbed

ungewöhnlich unusual

unglaubhaft not plausible, incredible, unbelievable

unglaublich incredible

das Unglück misfortune, ill luck, accident; unglücklich unhappy

ungnädig ungracious, unkind, harsh

unhöflich impolite

unmöglich impossible

unmoralisch immoral, improper

unnatürlich unnatural

das Unrecht wrong, injustice; einem unrecht tun wrong some one; zu Unrecht wrongly

die Unruhe, –n unrest, uneasiness, anxiety; unruhig restless, uneasy

unsanft harsh, rough

unschlüssig irresolute, uncertain

unschuldig innocent

unsicher unsafe, insecure

der Unsinn nonsense

unten below, downstairs

unter under, below, among

unterbre'chen, a, o interrupt

unterdrü'cken suppress

der Unterge'bene, –n subordinate, underling, henchman

unterhal'ten, ie, a support, amuse, entertain, talk to; sich unterhal'ten converse; die Unterhal'tung conversation

unterlas'sen, ie, a discontinue, fail to do, abstain

unterlie'gen, a, e: es unterliegt keinem Zweifel there is no doubt about it

unterrich'ten instruct, inform

unterschät'zen underestimate

der Unterschied, –e difference

sich unterschrei'ben, ie, ie write one's signature, sign

sich unterste'hen, unterstand, unterstanden dare, be so bold as

unterstüt'zen support

untersu'chen investigate, search; das Untersu'chungsgefängnis prison (for those awaiting trial)

unterwegs on the way

untrüglich indubitable, certain

ununterbrochen uninterrupted

unverschämt impudent, insolent; die Unverschämtheit impudence

unverständlich unintelligible

urteilen judge; das Urteil judgment, sentence, opinion

B

der Vater, ⸚, father; väterlich fatherly, paternal

das Veilchenbukett', –e bouquet of violets

verabreden agree upon, pre-arrange

sich verabschieden take leave

verächtlich contemptuous, contemptible

sich verändern change

veranstalten arrange, stage

die Verantwortung responsibility

sich verbeugen bow; die Verbeugung bow

verbinden, a, u connect; sich verbinden lassen ask for; die Verbindung connection

verbrechen, a, o commit a crime, do; der Verbrecher criminal; die Verbrecherbande gang of criminals

der Verdacht suspicion; verdächtig suspicious

verdammt cursed

verehren venerate, honor, respect; verehrter Herr Dear Sir

der Verein, –e club, society; der Vereinsausflug club's outing; der Vereinsbruder member of the club; das Vereinsmitglied member of the club; das Vereinszimmer clubroom

verfallen, ie, a (s.) fall to pieces, crumble; hit upon

die Verfassung, –en constitution, frame of mind, present state

verfolgen pursue, follow

die Verfügung, –en order, decree, disposal

vergeblich in vain

die Vergebung forgiveness

vergehen, verging, vergangen (s.) pass away; past part. last

vergessen, a, e forget; vergeßlich forgetful

vergeuden squander, waste

der Vergleich, –e comparison

das Vergnügen pleasure, enjoyment; vergnügt pleased, glad, cheerful, gay, merry

verhaften arrest

verhältnismäßig proportionate, relative

verkaufen sell; die Verkäuferin seller, shopgirl

der Verkehrspolizist', –en traffic policeman

verkehrt inverted, wrong

verkleidet disguised

verlangen desire, demand, request, ask for, suggest, indicate

verlangsamen slow up

verlassen, ie, a leave; sich verlassen (auf) rely (on)

verlaufen, ie, au (s.) run away, pass away

verlegen embarrassed, confused

sich verlieben fall in love

verlieren, o, o lose

sich vermehren increase, multiply

vermeintlich supposed

sich vermengen mix with one another, blend

vermögen, vermochte, vermocht be able; das Vermögen fortune

vermuten conjecture, suspect, suppose; vermutlich presumably; die Vermutung conjecture, assumption

vernehmen, a, o examine, question (a prisoner); die Vernehmung questioning, examination

sich verneigen bow

verreisen go on a journey

verringern diminish, reduce

verrückt crazy

sich versammeln assemble

verschenken give away (*as a present*)

verschieden different, various

verschlafen, ie, a lose by sleeping, oversleep, miss

sich verschlucken swallow the wrong way, choke

verschweigen, ie, ie keep silent about, suppress, conceal

verschwinden, a, u (f.) vanish, disappear; das Verschwinden disappearance

verschwollen swollen

das Versehen, —, mistake, error, blunder; aus Versehen, versehentlich inadvertently, by mistake

versichern assure, insure; das Versicherungsgebäude insurance building; die Versicherungsgesellschaft insurance company; das Versicherungsgewerbe insurance business

versinken, a, u (f.) sink, be swallowed up, lapse into

versperren block, obstruct

verständigen give notice, inform

verständlich intelligible, comprehensible, clear

verständnislos without understanding, blankly

verstecken hide

verstehen, verstand, verstanden understand

versteigern sell by auction

sich verstellen disguise oneself, dissemble, pretend

verstört troubled, agitated, distracted

verstreuen scatter, strew about

versuchen try, attempt

versunken absorbed (in thought), engrossed

verteilen distribute; sich verteilen break up into groups, separate

vertragen, u, a bear, endure, stand; sich vertragen be on good terms, become reconciled

vertreiben, ie, ie drive away, disperse, pass

der Vertreter, —, representative

der Verwandte, –n relation, relative; die Verwandtschaft relationship, relatives

verwickelt complicated

verwirrt confused

verwischen wipe away, obliterate

verzeihen, ie, ie excuse, forgive, pardon

verzichten (auf) give up, renounce, decline

verzweifelt desperate, in despair

der Vetter, –n cousin

die Viehherde, –n herd of cattle

viel much, many

vielleicht' perhaps

vierblättrig four-leaved

die Viertelstunde, –n quarter hour

die Villa (*pl.* Villen) residence

voll full; der Vollbart (full) beard, beard and mustache; völlig full, entire, complete; vollkommen perfect, complete; vollständig complete, entire, perfect

von from, of, by

vor before, in front of, from, for, ago, above

voran'=gehen, ging voran, voran=

gegangen (f.) take the lead, lead the way

voraus′=gehen, ging voraus, vor=ausgegangen (f.) go ahead, precede, take the lead

voraus′=schicken send ahead

vorbei′ past, by

vorbei′=gehen, ging vorbei, vor=beigegangen (f.) go past

vorbei′=kommen, a, o (f.) come past

vor=bereiten prepare

sich vor=beugen lean forward

das Vorderhaus, ⸗er front part of the house

vor=fahren, u, a (f.) drive up

vor=führen lead before, bring in

der Vorgang, ⸗e proceeding, occurrence, incident

der Vorgarten, ⸗, front garden

vorgerückt advanced; vorge=rückter Laune in an advanced stage, in high spirits

die Vorgeschichte, –n previous history, antecedents

vorgestern day before yesterday

der Vorhang, ⸗e curtain

vorher before, previously

vorhin before, a short time ago

vorig previous, preceding, last

vor=klettern (f.) climb ahead

vor=kommen, a, o (f.) occur, happen; seem, feel like

vorläufig for the present

vor=legen lay before, present, offer, submit

vor=liegen, a, e lie before, exist, be

vorn(e) in front, in the fore-part, before; von vorn all over; von vornherein from the first, a priori

der Vorname, –n first name, Christian name

vornehm genteel, refined, distinguished, aristocratic

der Vorschein: zum Vorschein kommen appear

vor=schlagen, u, a suggest, pro-pose; der Vorschlag sugges-tion, proposal

die Vorsicht foresight, caution; vorsichtig careful, cautious; vorsichtshalber as a precau-tion

der Vorsprung, ⸗e start, lead

sich vor=stellen imagine; intro-duce oneself; die Vorstellung performance; idea, notion

der Vorteil, –e advantage

vortreff′lich splendid, excellent

vorü′ber (an) along, by, past

vorü′ber=brausen (f.) roar past, rush past, race past

vorü′ber=fahren, u, a (f.) drive past

vorü′ber=gehen, ging vorüber, vorübergegangen (f.) go past

vorü′ber=kommen, a, o (f.) come past, drop in

der Vorwand, ⸗e excuse, pretext

der Vorwurf, ⸗e reproach

W

der Wachtmeister, —, sergeant

der Wachtposten, —, sentinel, man on guard

der Wagen, —, wagon, car-riage, car, cab, automobile, taxi, bus; die Wagenrückwand rear side of the car; der Wagenschlag door of the car; die Wagentür door of the car

wagen dare, risk; gewagt risky, hazardous, dangerous

der Waggon', –s car, coach

wählen elect, choose, select

wahr true; die Wahrheit truth; wahrhaftig truly, actually

während during, while; währenddem meanwhile

wahrscheinlich probable, likely, plausible

der Wald, ⸚er forest, wood

sich wälzen roll, wallow, turn over

der Walzer, —, waltz

die Wand, ⸚e wall, side; die Wandlampe wall lamp

wandern wander, hike, walk, go; das Wanderlied hiking song, marching song

wann when

das Warenhaus, ⸚er department store

warnen warn

warten wait

warum why

was what, which; was = etwas something; was? = nicht wahr? isn't it?

waschen, u, a wash; die Waschtoilet'te washroom; das Waschweib laundress; chatterbox

das Wasser, —, water

wechseln change, exchange

wecken wake

weder . . . noch neither . . . nor

weg away, gone; weg=fahren, u, a (f.) drive away; weg=schicken send away

der Weg, –e way, road, path, direction, route

wegen on account of

wehmütig sad, melancholy

das Weib, –er woman, wife; weiblich womanly, feminine

weich soft

weichen, i, i (f.) yield, give way, withdraw, retire, retreat, budge

sich weigern refuse

die Weihnachten Christmas; der Weihnachtsmann Santa Claus

weil because, since

die Weile, –n while, time

weinen weep, cry

die Weinflasche, –n wine bottle

die Weise, –n manner, way

weisen, ie, ie direct, show, point; die Weisung direction, instruction, order

weiß white; weißbärtig white-bearded; weißhaarig white-haired; weißleinen white linen

weit far, wide; weiter farther, further, continue (to . . .)

weiter=fahren, u, a (f.) drive, ride on, continue

weiter=geben, a, e pass on, transmit

weiter=gehen go on, continue

weiter=lesen, a, e read on, continue reading

weiter=schluchzen continue to sob

weiter=schreiten, i, i (f.) stride on, walk on

weiter=sprechen, a, o continue (to speak)

weitverbreitet widespread, general, extensive

welch which, what

die Welt, –en world; die Weltreise trip around the world; die Weltsprache language of the world

wenden, wandte, gewandt turn; sich wenden an turn to, speak to; der Wendepunkt turning point, denouement

wenig (a) little, few; **wenigſtens** at least

wenn if, when, whenever

wer who, whoever

werden, wurde, geworden (ſ.) become, be, get

werfen, a, o throw

der Wert, -e worth, value; **wert** worth, worthy, esteemed; **wertlos** worthless

weshalb why

der Weſten west

weswegen why

wetten wager, bet

wichtig important; **die Wichtigkeit** importance

widerſpre′chen, a, o contradict

ſich widmen dedicate oneself, devote oneself; **die Widmung** dedication

wie how, what, as, as if, like

wieder again; **die Wiederbeſchaffung** getting back, recovery

wieder=erkennen, erkannte wieder, wiedererkannt recognize

wieder=finden, a, u find again

wieder=haben be in possession of again

wiederho′len repeat; **wiederholt′** repeatedly; **die Wiederho′lung** repetition

wieder=hören hear again

wieder=ſehen, a, e see again; **auf Wiederſehen** till we meet again, au revoir, good-by

wieder=treffen, a, o meet again

wiederum again, anew, on the other hand

wiegen, o, o weigh, balance, wag, move from side to side

die Wieſe, -n meadow

wieſo how, in what way, why

wild wild; **wildfremd** utterly strange

willen: um ... willen for the sake of ...

willkom′men welcome

die Wimper, -n eyelash

der Wink, -e sign, nod; **winken** nod, beckon, signal, hail

der Winkel, —, angle, corner

wirklich real

der Wirt, -e innkeeper, landlord, owner; **die Wirtin** innkeeper (fem.), landlady; **das Wirtshaus** inn, tavern; **die Wirtsleute** landlord and landlady

wiſſen, wußte, gewußt know; **das Wiſſen** knowledge

der Witz, -e joke, jest

wo where, when; **woher** wherefrom, how; **wohin** where, whither; **womit** with what; **womöglich** if possible, possibly; **worauf** whereupon; **wozu** what for, why

die Woche, -n week

die Woge, -n wave; crowd

wohl well, probably, I suppose; **wohlbehalten** safe, secure, in good condition; **wohlgemeint** well-intentioned, friendly

wohnen live, reside; **wohnhaft** living, dwelling, resident; **die Wohnung** dwelling, apartment, house; **der Wohnungsinhaber** occupant of an apartment; **die Wohnungstür** door of the house or apartment

wollen, wollte, gewollt will, wish, want, claim to

das Wort, -e or ″er word; **wortlos** silent

ſich wundern wonder, be surprised; das Wunder wonder, miracle; wunderbar wonderful; wunderſchön wondrously beautiful, exquisite; wundervoll wonderful

wünſchen wish, desire; der Wunſch wish

die Wurſt, ⸗e sausage; die Wurſtfabrik sausage factory; das Wurſtmachen sausage-making; die Wurſtplatte platter of sausages; die Wurſtſorte kind of sausage; die Wurſtwaren pl. sausages

die Wurzel, –n root

wütend raging, furious, angry

3

die Zahl, –en number; zahllos numberless, countless; zahlreich numerous

zahlen pay

der Zahn, ⸗e tooth

zärtlich tender, loving, affectionate, amorous

die Zehenſpitze, –n point of the toe, tiptoe

zeigen show, point

die Zeile, –n line

die Zeit, –en time; das Zeitalter age, generation, era; eine Zeitlang a while; zeitweilig temporary, for the time being

die Zeitung, –en newspaper; der Zeitungsbote newsboy; die Zeitungsmeldung item in a newspaper, news

zerbrechen, a, o break in pieces, shatter

zerreißen, i, i tear up

zerren pull, tug, drag

ſich zerſtreuen disperse

der Zettel, —, scrap of paper, slip, note

das Zeug stuff, material, things

der Zeuge, –n witness

ziehen, zog, gezogen draw, pull, puff, take, make

ziellos aimless, purposeless

ſich ziemen beseem, become, be proper

ziemlich rather, fairly, pretty

zierlich dainty, delicate, nice

die Ziffer, –n cipher, figure, numeral; das Zifferblatt face, dial plate (of a clock)

die Zigaret'te, –n cigarette; der Zigaret'tenboy boy selling cigarettes

die Zigar're, –n cigar; das Zigar'renetui' cigar case; das Zigar'renmädchen girl selling cigars

das Zimmer, —, room; das Zimmermädchen chamber maid; die Zimmertür door

zirka about, approximately

zittern tremble, shake, shudder

das Zivil' plain clothes; der Zivil'beamte plain-clothes officer; der Zivilist' civilian

zögern hesitate; das Zögern hesitation

der Zoll, ⸗e toll, custom, duty; der Zollbeamte customs official; die Zollkontrol'le customs inspection; die Zollſtation' custom house

zornig angry

zu to, at, for, in, with, too

zucken move with a short, quick motion, jerk, start, shrug

zu⸗eilen (ſ.) hurry toward

zueinander to one another

zu=fahren, u, a (f.) drive on, continue, go on

der Zufall, ⸗e chance, accident, coincidence; zufällig accidental; zufälligerweise by chance, by accident

zu=flüstern whisper to

zufrie'den satisfied

der Zug, ⸗e train; *pl.* features, face

zu=geben, a, e admit, concede

zu=gehen, ging zu, zugegangen (f.) go up to, go toward; happen, take place

zu=halten, ie, a close, stop

zu=hören listen

zu=lächeln smile at

zu=lassen, ie, a admit, permit

zu=legen add to, appropriate

zuletzt' at last, finally

zulie'be: einem etwas zulie'be tun do something to please a person, as a favor

zumu'te: wie ist Ihnen zumu'te? how do you feel? mir ist schlecht zumu'te I feel badly

zunächst' (einmal) next, first of all, above all

die Zunge, –n tongue

zu=nicken nod to

zupfen pull, tug

zu=rennen, rannte zu, zugerannt (auf) (f.) run toward

zurück' back   [behind

zurück'=bleiben, ie, ie (f.) remain

zurück'=bringen, brachte zurück, zurückgebracht bring back

zurück'=eilen (f.) hurry back

zurück'=erstatten return, restore, refund

zurück'=fahren, u, a (f.) drive back, ride back, start back

zurück'=führen lead back

zurück'=geben, a, e give back

zurück'=gehen, ging zurück, zurückgegangen (f.) go back, return

zurück'=halten, ie, a hold back, stop; sich zurückhalten keep back, restrain oneself

zurück'=kehren (f.) turn back, return

zurück'=kommen, a, o (f.) come back

zurück'=lassen, ie, a leave behind

zurück'=laufen, ie, au (f.) run back

zurück'=legen lay back; lean back; traverse, travel, go over, pass, cover

sich zurück'=lehnen lean back

zurück'=schicken send back

zurück'=treten, a, e (f.) step back

zurück'=wandern (f.) wander back

zurück'=werfen, a, o throw back

zurück'=ziehen, o, o draw back, withdraw; sich zurückziehen withdraw, retire

zusam'men together

zusam'men=beißen, i, i bite together, clench

zusam'men=bleiben, ie, ie (f.) remain together

zusam'men=fahren, u, a (f.) start (back in alarm)

zusam'men=falten fold together

zusam'men=hängen hang together, be connected

zusam'men=schlagen, u, a strike together, clap

zusam'men=sinken, a, u (f.) sink down, collapse, be crestfallen

zusam'men=sitzen, saß zusammen, zusammengesessen sit together

zusam'men=stoßen, ie, o (f.) knock

against one another, collide, meet

zuſam'men-treffen, a, o (ſ.) meet, encounter; das Zuſammen-treffen meeting

zuſam'men-zucken (ſ.) start back in alarm

zu-ſchlagen, u, a bang, slam

zu-ſchließen, o, o lock up

zu-ſchreiten, i, i (ſ.) walk up to, walk toward

zu-ſehen, a, e look on, watch

der Zuſtand, ⁼e condition

zuſtändig duly qualified, competent, authoritative, proper

zu-ſtoßen, ie, o (ſ.) befall, happen to

zu-trinken, a, u drink to, pledge, drink one's health

zuverläſſig reliable, trustworthy, dependable

zuviel' too much

zuvor'-kommen, a, o (ſ.) get in

front of, anticipate, steal a march on

ſich zu-wenden, wandte zu, zuge-wandt turn to

zu-werfen, a, o throw to, cast at, slam

zwar indeed, to be sure, of course

der Zweck, -e purpose, sense; zwecklos purposeless, useless

zweierlei two kinds of (things)

zweifeln doubt; der Zweifel doubt; zweifelhaft doubtful; zweifellos doubtless

zweimal twice

zwinkern wink, blink

zwiſchen between

der Zwiſchenfall, ⁼e incident, episode

die Zwiſchenfrage, -n question thrown in

die Zwölfpfennigmarke, -n twelve pfennig stamp